GOD'S FAMILY
AT WORSHIP

TEULU DUW
YN ADDOLI

Edited by
Rev. Margaret Harvey

Council of Churches for Wales

Llyfr Addoli Teulu Duw
Cyhoeddwyd yn gyntaf ym 1986
© Cyngor Eglwysi Cymru 1986
Cedwir pob hawl. Ni ellir atgynhyrchu unrhyw ran o'r cyhoeddiad hwn na'i gadw mewn cyfundrefn adferadwy na'i drosglwyddo mewn unrhyw ddull na thrwy unrhyw gyfrwng electronig, mecanyddol, ffoto-gopïo, recordio, nac fel arall, heb ganiatâd ymlaen llaw gan Gyngor Eglwysi Cymru.
ISBN 0948734 00 0
Cyhoeddwyd gan Gyngor Eglwysi Cymru, 21 Heol Sant Helen, Abertawe SA1 4AP.
Argraffwyd ym Mhrydain Fawr.

God's Family Worship Book
First published in 1986
© Council of Churches for Wales 1986
All rights reserved. No part of this publication may be reproduced, stored in a retrieval system, or transmitted, in any form or by any means, electronic, mechanical, photocopying, recording or otherwise without the permission of the Council of Churches for Wales.
ISBN 0948734 00 0
Published by the Council of Churches for Wales, 21 St. Helen's Road, Swansea SA1 4AP.
Printed in Great Britain.

Cynnwys Contents

RHAGAIR

, Pan ddaw teulu Duw ynghyd i addoli y mae'n ceisio rhannu yng nghlod a gweddi ei bobl ymhob amser a lle. Fe'n hunir â'r Tri yn Un, trwy'r Ysbryd, eiriolwn dros gyfiawnder a thangnefedd dynoliaeth a waredwyd trwy Grist, ac edrychwn tuag at y dydd pan fydd pob peth, wedi eu cymodi â Duw trwy Grist, yn uno mewn clod i'r Creawdwr a'r Gwaredwr. Yn y llyfr hwn ceisir cyfuno'r holl elfennau yma o'n profiad o addoli ac fe'i cyflwynir yn y gobaith y bydd iddo gyfoethogi addoliad a gweddi teulu cyfan Duw yng Nghymru.

Achlysur ei gyhoeddi yw Gŵyl Teulu Duw a gynhelir ar Fai 24ain 1986. Gwahoddwn Gristnogion o bob oedran sy'n bwriadu dod i'r Wyl i ddysgu'r caneuon a'r emynau, ac i ddefnyddio'r gweddïau fel y byddwn yn dathlu fel teulu cyfan yn yr oedfaon a fydd yn ganolbwynt y dydd.

Ond nid ar gyfer yr Wyl yn unig y bwriedir y gyfrol hon; credwn y bydd yn dra gwerthfawr am nifer o flynyddoedd i ddod. Y mae'n ddwy-ieithog ac yn cynnwys defnyddiau hen a newydd, o Gymru ac o'r tu allan; rhai'n wreiddiol Gymraeg a rhai o ieithoedd eraill. Dyma'r tro cyntaf i gyfrol o'r math yma gael ei chyhoeddi gan y Cyngor. Bydd yn ateb gofyn mawr yng Nghymru am lyfr addoli a fydd yn galluogi pawb mewn cynulleidfa i gyfranogi'n llawnach mewn oedfa ddwy-ieithog. Dyma gyfrannu at wneud cynulleidfa o'r fath yn deulu! Dyma ddyfnhau perthynas rhwng eglwysi Cymraeg a Saesneg mewn ardaloedd ar draws Cymru!

Gan mwyaf cynhwyswyd emynau a gweddïau sydd eisoes ar gael yn y ddwy iaith ond diolchwn yn gyr es i'r cyfeillion sydd wedi gwneud cyfieithiadau yn benodol ar gyfer y gyfrol hon. Diolcnwn hefyd i nifer sydd wedi rhoi caniatâd i ni gynnwys eu gwaith. Buom yn dra gofalus i beidio â thramgwyddo hawlfraint; ymddiheurwn yn ddiffuant am unrhyw fethiant yn y cyfeiriad yma.

Rhoddodd nifer o gyfeillion wasanaeth parod i ni wrth lunio'r gyfrol. Fe'i golygwyd gan y Parchg. Margaret Harvey, Corwen, a diolchwn yn gynnes iawn iddi hi am waith trylwyr a brwdfrydig. (Fy nghyfrifoldeb i yw unrhyw wendidau yn yr elfennau Cymraeg).

Cydnabyddwn hefyd gyfraniad gwerthfawr y canlynol:
Heather Fenton am oruchwylio argraffu a chynhyrchu'r gyfrol gyda medr proffesiynol; Y Parchg. David Pryce Morris am lunio'r clawr ac am y lluniau, ac am gymorth gyda'r golygu; Pauline Morris am baratoi'r gerddoriaeth i'w hargraffu; nifer o gyfeillion a'n cynorthwyodd i gasglu defnyddiau; Julie Edwards, Helen Needham, Wendy Richards, Janet Wilcock a Joan Wilson am deipio.

Cyfrol i'w defnyddio a'i mwynhau yw hon. Gweddïwn y cawn oll ein cyfoethogi gyda'n gilydd wrth i ni addoli fel Teulu Duw.

Noel A. Davies, Ysgrifennydd Cyffredinol, Cyngor Eglwysi Cymru, Comisiwn yr Eglwysi Cyfamodol.

iv

FOREWORD

When the family of God comes together for worship it seeks to share in the praise and prayer of his people of all times and all places. We are united with the triune God, through the Spirit, intercede for the justice and peace of humanity redeemed through Christ, and point towards the day when all things, being reconciled to God through Christ, unite in praise of the Creator and Redeemer. This worship book seeks to embrace all these elements in our experience of worship and is offered in the hope that it will enrich the worship and prayer of God's whole family in Wales.

The occasion for its publication is the God's Family Festival to be held on May 24th 1986. We invite Christians of all ages who intend to come to the Festival to learn the songs and hymns and to use the prayers so that we can celebrate as a whole family in the acts of worship which will be focal points during that day.

But this book is not intended only for the Festival; we believe that it will be a valuable resource for many years to come. It is bilingual and contains old and new material, from Wales and from elsewhere; some originally in Welsh, some in other languages. This is the first book of this kind to be published by the Council. It is our response to a long-standing need in Wales for a worship book which enables everyone in a congregation to participate more fully in a bilingual service. So it will contribute to forming such a congregation into a family. And will contribute towards deepening relations between Welsh and English churches in localities throughout Wales.

Most of the hymns and prayers which have been included are already available in both languages but we are grateful to a number of friends who have translated material specially for this book. We are grateful also to those who have granted permission for the inclusion of their work. We have taken great care not to infringe copyright; we offer our sincere apologies for any failure in this regard.

A number of friends have given willing assistance with the preparation of the book. The editor is the Rev. Margaret Harvey of Corwen, and we are most grateful to her for her thorough and enthusiastic work. (I take full responsibility for any weaknesses in the Welsh sections.)

We acknowledge also the valuable assistance of the following:
Heather Fenton for supervising the printing and production with professional expertise; The Rev. David Pryce Morris for the cover design and drawings and for editorial assistance; Pauline Morris for preparing the music for printing; a number of friends who helped to gather materials; Julie Edwards, Helen Needham, Wendy Richards, Janet Wilcock and Joan Wilson for typing.

This worship book is intended to be used and enjoyed. Let us pray that we may all be enriched together as we worship as God's Family.

Noel A. Davies, General Secretary, Council of Churches for Wales, Commission of the Covenanted Churches.

V

TEULU DUW

Addoli yw calon teulu Duw. Oherwydd yn ei ganol y mae Duw y Tad a'i gariad. Gallwn fynegi ein haddoliad mewn ffordd wahanol, sy'n adlewyrchu hanes a thraddodiad amrywiol. Ond yn y bôn y mae yna undeb. Oherwydd ein hymateb mewn cariad i Dduw sy'n caru yw'n holl addoli; y mae ein haddoli yn ein cyfeirio oddi wrth ein consyrn hunanol fel y gallwn ymuno yng ngweithgarwch y Drindod ei hun. Wrth addoli dywedwn, 'Dduw, 'rwyt ti'n fendigedig'.

Bwriedir y llyfryn hwn fel cyfraniad tuag at y gweithgarwch yma sydd yn ein huno. Y mae ar gyfer *holl* deulu Duw yng Nghymru — yn ddwyieithog, fel y gall y ddwy iaith gael eu defnyddio gyda'i gilydd fel arwydd o undod. Nid yw'n cynnwys trefn oedfa barod — dim ond rhai defnyddiau. Ac fel y gŵyr unrhyw un sy'n coginio — neu unrhyw un sy'n bwyta cynnyrch coginio rhywun arall — y mae'r modd y defnyddir y defnyddiau mor bwysig â'r defnyddiau eu hunain!

Defnyddio'r Llyfr

(i) Mae *dechreuadau'n* bwysig. Cerddoriaeth, tawelwch, brawddeg o'r Ysgrythur — gallant ein cynorthwyo i ymdawelu ar gyfer addoli. Gall y cefndir gael dylanwad negyddol neu gadarnhaol ar yr addoli hefyd. Yn awr ac yn y man y mae'n syniad da i 'arweinydd' eistedd lle y mae'n rhaid i'r gynulleidfa eistedd! Y mae pob adran o'r llyfryn yma yn cynnwys nifer o awgrymiadau am frawddegau agoriadol. Gellir eu dweud. Neu gellir eu canu. Neu gellir eu cyflwyno drwy gyfryngau gweledig. Beth am ddefnyddio baneri i fynegi thema'r oedfa? Dylent fod yn syml a deniadol gyda chyn lleied o eiriau â phosibl (neu ddim). Neu gellir defnyddio posteri yn yr un modd mewn grwpiau bach.

(ii) Dylai'r *darlleniadau o'r Ysgrythur* fod yn ddigwyddiad, nid yn rhan anochel o unrhyw wasanaeth. Dylid eu darllen yn dda. Gall defnyddio mwy nag un llais roi bywyd mewn darn cyfarwydd. Gellir defnyddio meim a baratowyd yn ofalus, neu dryloywon i gynorthwyo'r darlleniad. Cynhwysir darlleniadau o'r tu allan i'r Beibl. Y mae nifer o gasgliadau da o'r fath ddarlleniadau. Ond beth am wneud eich casgliad eich hunan?

(iii) Gellir defnyddio'r *gweddïau* a gynhwysir ar gyfer gweddi breifat — ond fe'u bwriedir yn bennaf ar gyfer teulu Duw gyda'i gilydd fel teulu. Mynegir yr undod hwnnw yn Amen y gynulleidfa. Mae gweddïau ar batrwm litani yn cynorthwyo'r grŵp cyfan i gyfrannu — ond dylid sicrhau fod pawb yn gwybod beth i ymateb a phryd i ymateb. Ar brydiau mae gweddïo gyda llygaid agored yn gynorthwyol, gyda llun neu boster neu symbol yn ffocws i'r weddi.

CODODD IESU

vi

GOD'S FAMILY

At the very centre of God's family is worship. For at its centre is God and the wonder of his love and fatherhood. We may express our worship in different ways, reflecting a variety of histories and traditions. But there is at bottom a unity. For all our worship is our loving response to a loving God: all worship moves us away from our self-concern to join in the activity of the Trinity itself. In worship we declare, 'God — you're great!'

This small book is intended as a contribution to that uniting activity. It is for *all* God's family in Wales — bilingual so that the two languages can be used together as a mark of oneness. It does not contain ready-made forms of service — but some ingredients. And, as anyone who cooks — or is at the receiving end of someone else's cooking — knows, the way the ingredients are used is as important as the ingredients themselves!

Using the book

(i) *Beginnings* are important. Music, quiet, a scripture sentence can help us to settle in to worship. The setting contributes, negatively or positively, to the worship too. It's a good idea for a 'leader' to sit where the congregation' has to sit now and again! Each section of this book includes a number of suggestions for introductory sentences. These can simply be said. Or sung. Or they can be presented visually. Try using banners or wall hangings to express the theme of the service. They should be simple and eye catching with the minimum of words (if any). Or posters can be similarly used in a small group.

(ii) Scripture *reading* should be an event, a happening, not simply an inevitable part of any service. Obviously it must be read well. Using more than one voice can help to make a familiar passage come alive. A well thought out mime can be used. Or colour slides to complement the reading. Non-biblical passages are included. There are many good collections of suitable readings. But why not build up your own?

HE IS RISEN

(iii) The *prayers* included may be used for private prayer, — but are intended primarily for God's family come together as family. That oneness is expressed in the congregational Amen. Litany type prayers help to make the involvement of the whole group obvious — so long as everyone is clear what the response is and when it should happen. Sometimes praying with open eyes can be helpful with slide, poster or symbol to focus the prayer.

(iv) Y mae *tawelwch* yn elfen bwysig mewn addoliad. Y mae'n rhoddi cyfle i ni wrando ar Dduw, i fynegi rhyfeddod ac arswyd neu edifeirwch. Y mae hefyd yn ffordd werthfawr o weddïo *gyda'n gilydd* dros anghenion arbennig heb orfod gwrando ar eiriau rhywun arall, na'u deall. Dylid cyhoeddi tawelwch yn eglur a dylai ddiweddu yn eglur, rhag bod neb yn teimlo'n ansicr neu'n dechrau meddwl fod yr arweinydd wedi anghofio beth i'w ddweud nesaf! Nid yw'n angenrheidiol cael tawelwch llwyr — y mae tawelwch mewnol yn berffaith bosibl heb fod rhieni pryderus yn ceisio cadw plant bychain yn dawel. Yn wir gall sŵn plant gyfoethogi'r tawelwch yn hytrach na'i ddinistrio. Y mae'n rhaid tanlinellu fod teulu Duw yn cynnwys *pob* oedran a bod croeso i bawb.

(v) Y mae *canu* clodydd Duw yn rhan o'n hetifeddiaeth yng Nghymru. 'Rydym wedi ceisio cynnwys enghreifftiau o'r cyfoeth sydd ar gael, o Gymru ac o wledydd eraill.

Y mae rhai o'r caneuon yn ein hatgoffa na ellir gwahanu addoliad oddi wrth heddwch a chyfiawnder. Ni ddylai'n haddoli fyth fod yn noddfa ddiogel rhag gweddill bywyd. Yn wir dyma ganolbwynt y bywyd hwnnw, yn ymestyn dros ein perthynas ag eraill, yr holl bobloedd a'u hanghenion, a'r greadigaeth gyfan.

Ar y cychwyn cymorth i baratoi ar gyfer Gŵyl Teulu Duw ym Mai 1986 oedd y llyfr yma. Wrth i ni gasglu deunydd newydd ar ei gyfer cawsom ein hatgoffa o'r trysorau sydd gennym i'w rhannu fel un teulu Duw.

Pob hwyl wrth ei ddefnyddio!

M.C. Harvey

(iv) *Silence* is an important element of worship. It gives us space to listen to God, to express wonder and awe or penitence. It is also a valuable way of praying *together* for particular needs without having to listen to and understand someone else's words. Silence should be introduced clearly and ended clearly, so that people are not left feeling insecure, or wondering if the leader has forgotten what to say next! It need not be completely silent — an interior quiet is perfectly possible without anxious parents 'shushing' small children. In fact the sounds of children can enhance the quiet rather than ruin it. For it needs to be underlined that the family of God includes *all* ages, and all must feel welcome.

(v) To *sing* God's praise is part of our heritage in Wales. We've tried to include examples of the riches available from Wales and from other countries.

Some of the songs and prayers remind us that worship and peace and justice go together. Our worship must never become a safe refuge from the rest of life. It is the centre of that life, continuing into our relationships with others, with all peoples and their needs, indeed the whole of creation.

This book began as a preparation for the 'God's Family' Festival in May 1986. As we have collected material for it, we have been reminded of the treasures we have to share as one family throughout the world and here in Wales.

Enjoy using it!

M.C. Harvey

*Deuwch, addolwn ac ymgrymwn, plygwn ein gliniau
gerbron yr Arglwydd a'n gwnaeth.*
Salm 95 : 6
*Canwch iddo, moliannwch ef, dywedwch am ei holl
ryfeddodau. Gorfoleddwch yn ei enw sanctaidd,
llawenhaed calon y rhai sy'n ceisio'r Arglwydd.*
Salm 105 : 2 a 3
*Ysbryd yw Duw, a rhaid i'w addolwyr ef addoli
mewn ysbryd a gwirionedd.*
Ioan 4 : 24

DARLLENIADAU

Salm 30	Ymateb i drugaredd Duw
Salm 95	Deuwch ac addolwch ef
Eseia 55	Yr Arglwydd a ddywed, 'Deuwch . . .'
Datguddiad 7 : 9-17	O bob cenedl a llwyth, pobloedd ac ieithoedd

1

Arweinydd:	Gyfeillion annwyl, gadewch i ni garu ein gilydd
Pawb:	Oherwydd o Dduw y mae Cariad
A:	Yr hwn nad yw'n caru, nid yw'n adnabod Duw
P:	Oherwydd Cariad yw Duw
A:	Carodd Duw y byd gymaint
P:	Nes iddo roi ei unig Fab
A:	Gyfeillion annwyl, os yw Duw wedi ein caru ni fel hyn
P:	Fe ddylem ninnau garu ein gilydd

Iona

2

ADNABOD

Ti yw'n hanadl. Ti yw ehedeg
Ein hiraeth i'r wybren ddofn.
Ti yw'r dwfr sy'n rhedeg
Rhag diffeithwch pryder ac ofn.
Ti yw'r halen i'n puro.
Ti yw'r deifwynt i'r rhwysg amdanom.
Ti yw'r teithiwr sy'n curo.
Ti yw'r tywysog sy'n aros ynom.

Er gwaethaf bwytawr y blynyddoedd
Ti yw'r gronyn ni red i'w grap,
Er dyrnu'r mynyddoedd,
Er drysu'n helynt a'n hap.
Ti yw'r eiliad o olau
Sydd â'i naws yn cofleidio'r yrfa.
Tyr yr Haul trwy'r cymylau —
Ti yw Ei baladr ar y borfa.

Waldo Williams

Come, let us bow down and worship him; let us kneel
before the Lord our Maker!
Psalm 95 : 6
Sing praise to the LORD; tell of the wonderful things
he has done. Be glad that we belong to him; let all
who worship him rejoice.
Psalm 105 : 2 and 3
God is Spirit, and only by the power of his Spirit can
people worship him as he really is.
John 4 : 24

READINGS

Psalm 30   Response to God's mercy
Psalm 95   Come and worship him
Isaiah 55   The Lord says 'Come . . .'
Revelation 7 : 9-17 Every race, tribe, nation and language

1

Leader: Friends, let us love one another
All: For love is of God
L: The unloving know nothing of God
A: For God is love
L: God so loved the word
A: That he gave his only Son
L: Friends, if God so loved us
A: We ought to ove one another

                                                    Iona

2

KNOWING

You are our breath. You are the flight
of our longing to the depths of heaven.
You are the water which flees from
the wilderness of our anxiety and fear.
You are the salt which purifies.
You are the piercing wind to our
                              pomposity
You are the traveller who knocks.
You are the prince who dwells within us.

Despite the consumer of years,
You are the seed which does not speed to
                                   its death.
Despite the crushing of mountains,
Despite the confusion of our tale and
                                    chance,
You are the moment of light,
Whose aura embraces our life.
The Sun breaks through the clouds —
You are its beam on the green pasture.
                              Waldo Williams.
                           Trans. Noel Davies

2

3

Dduw, o'th ddaioni, rho dy hunan i mi, canys yr wyt ti'n ddigon i mi.

Julian o Norwich

God, of your goodness give me yourself, for you are enough for me.

Julian of Norwich

4

THE KINGDOM OF GOD

O World invisible, we view thee,
O World intangible, we touch thee,
O World unknowable, we know thee,
Inapprehensible, we clutch thee!

Does the fish soar to find the ocean,
The eagle plunge to find the air —
That we ask of the stars in motion
If they have rumour of thee there?

Not where the wheeling systems darken
And our benumbed conceiving soars! —
The drift of pinions, would we hearken,
Beats at our own clay-shuttered doors.

The angels keep their ancient places; —
Turn but a stone, and start a wing!
'Tis ye, 'tis your estrangèd faces,
That miss the many-splendoured thing.

But (when so sad thou canst not sadder)
Cry; — and upon thy so sore loss
Shall shine the traffic of Jacob's ladder
Pitched betwixt Heaven and Charing Cross.

Yea, in the night, my Soul, my daughter,
Cry, — clinging Heaven by the hems;
And lo, Christ walking on the water,
Not of Genesareth but Thames!

Francis Thompson

5

THE EMPTY CHURCH

They laid this stone trap
for him, enticing him with candles,
as though he would come like some huge moth
out of the darkness to beat there.
Ah, he had burned himself
before in the human flame
and escaped, leaving the reason
torn. He will not come any more
to our lure. Why, then, do I kneel still
striking my prayers on a stone
heart? Is it in hope one
of them will ignite yet and throw
on its illuminated walls the shadow
of someone greater than I can understand?

R. S. Thomas

6

GOD'S GRANDEUR

The world is charged with the grandeur of God.
    It will flame out, like shining from shook foil;
    It gathers to a greatness, like the ooze of oil
Crushed. Why do men then not reck his rod?
Generations have trod, have trod, have trod;
    And all is seared with trade; bleared, smeared with toil;
    And wears man's smudge and shares man's smell: the soil
Is bare now, nor can foot feel, being shod.

And for all this, nature is never spent;
    There lives the dearest freshness deep down things;
And though the last lights off the black west went
    Oh, morning, at the brown brink eastward, springs —
Because the Holy Ghost over the bent
    World broods with warm breast and with ah! bright wings.

Gerard Manley Hopkins

7

DYHEU AM DDUW

O deuwch i'r dyfroedd bob un sydd yn sychedig;
Er nad oes arian gennych, deuwch!
Deuwch, prynwch a bwytewch;
heb arian a heb werth.

Sych- e -da f'enaid am Dduw, am y Duw ------ byw.

Paham y gwariwch arian ar yr hyn nad yw'n fara,
A'ch cyflogau ar yr hyn nad yw'n digoni?
Gwrandewch, gwrandewch arnaf fi, ac fe gewch bethau da i'w bwyta
a bwyd bras i'w fwynhau.

Sycheda f'enaid am Dduw, am y Duw byw!

Daliwch sylw a deuwch ataf;
Gwrandewch a bydd byw eich enaid.
Mi a wnaf gyfamod tragwyddol â chwi.

Sycheda f'enaid am Dduw, am y Duw byw!

Ceisiwch yr Arglwydd tra gellir ei gael ef,
Galwch arno tra fyddo yn agos.

Sycheda f'enaid am Dduw, am y Duw byw!

WCC

8

O'I GYFLAWNDER EF

Yn y dechreuad y creodd Duw y nefoedd a'r ddaear;
A'r ddaear oedd afluniaidd a gwag, a thywyllwch oedd ar wyneb y dyfnder
. . . A Duw a ddywedodd, "Bydded goleuni";
a goleuni a fu . . . A gwelodd Duw yr hyn oll a wnaethai,
ac wele, da iawn ydoedd.

O'i gyflawnder 'rydym oll we -di derbyn, gras - ar ôl gras.

7

THE LONGING FOR GOD

Oh, come to the water all you who are thirsty;
Though you have no money, come!
Buy corn without money, and eat,
And, at no cost, wine and milk.

My soul thirsts for God, for the liv - ing God.

Why spend money on what is not bread,
Your wages on what fails to satisfy?
Listen, listen to me, and you will have good things to eat
And rich food to enjoy.

My soul thirsts for God, for the living God!

Pay attention, come to me;
Listen, and your soul will live.
With you I will make an everlasting covenant.

My soul thirsts for God, for the living God!

Seek the Lord while he is still to be found,
Call to him while he is still near.

My soul thirsts for God, for the living God!

WCC

8

OF HIS FULLNESS

In the beginning God created the heaven and the earth.
The earth was without form and void, and darkness was upon
the face of the deep . . . And God said, "Let there be light";
and there was light . . . And God saw everything that he had made,
and behold, it was very good.

From his fullness have we all re-ceived, grace up- on grace.

A daeth y Gair yn gnawd a phreswylio yn ein plith,
yn llawn gras a gwirionedd; gwelsom ei ogoniant ef,
ei ogoniant fel unig Fab yn dod oddi wrth y Tad.

O'i gyflawnder 'rydym oll wedi derbyn, gras ar ôl gras.

Felly, os yw person yng Nghrist, y mae'n greadigaeth newydd;
aeth yr hen heibio, y mae'r newydd yma.
Gwaith Duw yw'r cyfan — Duw, yr hwn sydd wedi ein cymodi ni ag ef
ei hun trwy Grist a rhoi i ni weinidogaeth y cymod.

O'i gyflawnder 'rydym oll wedi derbyn, gras ar ôl gras.

I ryddid y rhyddhaodd Crist ni. Safwch yn gadarn, felly,
a pheidiwch â phlygu eto i iau caethiwed . . . Os yw ein bywyd yn yr
Ysbryd, yn yr Ysbryd hefyd bydded ein buchedd.

O'i gyflawnder 'rydym oll wedi derbyn, gras ar ôl gras.

WCC

9

RHO I NI FYWYD

Ysbryd Sanctaidd, Greawdwr,
yn y dechrau, 'roeddit ti'n hofran uwchben y dyfroedd;
dy anadl di sy'n bywhau pob creadur,
hebot ti mae pob creadur yn marw ac yn mynd yn ddiddim;
Tyrd atom ni, Ysbryd Sanctaidd.
Ysbryd Sanctaidd, Ddiddanydd,
trwot ti y cawn ein geni o'r newydd, yn blant Duw;
yr wyt ti'n ein gwneud ni'n demlau byw i ti drigo ynddynt;
ti sy'n gweddïo oddi mewn i ni â gweddïau sydd y tu hwnt i eiriau;
Tyrd atom ni, Ysbryd Sanctaidd.
Ysbryd Sanctaidd, Arglwydd, Roddwr Bywyd;
ti yw'r goleuni, ti sy'n dod â'r goleuni i ni;
ti yw daioni, a ffynhonnell pob daioni.
Tyrd atom ni, Ysbryd Sanctaidd.
Ysbryd Sanctaidd, Anadl Bywyd;
yr wyt ti'n sancteiddio ac yn bywhau corff cyfan dy eglwys;
yr wyt ti'n trigo ym mhob un o'i haelodau.
Tyrd atom ni, Ysbryd Sanctaidd.

Taizé (Addaswyd)

10

Dduw grasol a sanctaidd,
Dyro i ni ddoethineb i'th ganfod,
Ddyfalwch i'th geisio,
Lygaid i'th weled,
Galon i fyfyrio arnat,
A bywyd i'th gyhoeddi
    trwy Iesu Grist ein Harglwydd. Amen.

And the Word became flesh and dwelt among us,
full of grace and truth; we beheld his glory,
glory as of the only son from the Father.

From his fullness have we all received, grace upon grace.

Therefore if anyone is in Christ, there is a new creation;
the old has passed away, behold the new has come.
And all this is from God, who through Christ reconciled us
to himself and gave us the ministry of reconciliation.

From his fullness have we all received, grace upon grace.

For freedom Christ has set us free; stand fast therefore and
do not submit again to the yoke of slavery . . . If we live by
the Spirit, let us also walk by the Spirit.

From his fullness have we all received, grace upon grace.

WCC

9

GIVE US LIFE
Holy Spirit, Creator,
at the beginning you hovered over the waters;
you breathe life into all creatures;
without you every living creature dies and returns to nothingness.
Come into us, Holy Spirit.
Holy Spirit, Comforter,
by you we are born again as children of God;
you make us living temples of your presence,
you pray within us with prayers too deep for words.
Come into us, Holy Spirit.
Holy Spirit, Lord and Giver of Life,
you are light, you bring us light;
you are goodness and the source of all goodness.
Come into us, Holy Spirit.
Holy Spirit, Breath of life,
you sanctify and breathe life into the whole body of the Church;
you dwell in each one of its members,
and will one day give new life to our mortal bodies.
Come into us, Holy Spirit.

Taizé (Adapted)

10

Gracious and Holy God,
Give us wisdom to perceive thee,
Diligence to seek thee,
Eyes to behold thee,
A heart to meditate upon thee,
And a life to proclaim thee
    through Jesus Christ our Lord. Amen.

*Fy enaid, bendithia'r Arglwydd, a'r cyfan sydd ynof
ei enw sanctaidd. Fy enaid, bendithia'r Arglwydd, a
phaid ag anghofio'i holl ddoniau.*
Salm 103 : 1 a 2
*I'r hwn sy'n eistedd ar yr orsedd ac i'r Oen y bo'r
mawl a'r anrhydedd a'r gogoniant a'r nerth yn oes
oesoedd!*
Datguddiad 5 : 13
*Llawenhewch yn yr Arglwydd bob amser; fe'i
dywedaf eto, llawenhewch.*
Philipiaid 4 : 4

DARLLENIADAU

Salm 103	Bendithiwch yr Arglwydd!
Salm 150	Bydded i bopeth byw foliannu'r Arglwydd
I Cronicl 29 : 10-20	'Y cwbl yn y nefoedd ac yn y ddaear sydd eiddot ti'
Rhufeiniaid 11 : 33-36	O! ddyfnder cyfoeth Duw
Colosiaid 3 : 12-17	Pobl sy'n clodfori
I Pedr 1 : 3-5	Gobaith bywiol

11

YN CHARTRES
A dyma'r lliwiau enwog.

Mi wrandewais arnyn-nhw'n cordio ar fur a cholofn, ar y bwâu ac ar y llawr.

Edrych ar yr offer cerdd yn y ffenestri, yn las fiolin eu hangerdd, cochliw trwmpedi nwyd, a melynwch yn ffliwtio ar yn ail â thelynau'r gwynder yn wên yn eu seddau.

Canai'r paenau ei henaid-hi, arllwys rhuddem goleuni, nodau saffir yr heulwen, topasau seinber dros weledigaeth y lle rhwng tannau cyffes y pileri a gollyngdod tawel y to.

Yn sydyn dyma'r organ fawr yn dechrau pelydru, treiddio trwy lesni'r eiliau i gyd, ei sain yng nghochliwiad y baeau, melynu yn y gangell, gwyn ar ysgrîn y côr.

Yn y man crynai canhwyllau'r dyfnder.

Âi'n gynnwrf yr uchelderau yn y mellt.

Ac yn y fan tywalltodd taran ddüwch o'r dirgelwch eitha ar ddallineb y llygaid a byddardod diango y clwy.

Euros Bowen

CLOD A DIOLCH

Praise the Lord, my soul! All my being, praise his
holy name! Praise the Lord, my soul, and do not
forget how kind he is.
Psalm 103 : 1 and 2
To him who sits on the throne and to the Lamb, be
praise and honour, glory and might, for ever and
ever!
Revelation 5 : 13
Rejoice in the Lord always; again I will say,
Rejoice.
Philippians 4 : 4

READINGS

Psalm 103   Praise the Lord!
Psalm 150   All living creatures praise him
I Chronicles 29 : 10-20   'Everything in heaven and earth are yours.'
Romans 11 : 33-36   How great are God's riches
Colossians 3 : 12-17   A praising people
I Peter 1 : 3-5   A living hope

11

IN CHARTRES

And here are the famous colours.

I listened to them striking up their chords on wall and pillar, in the bays and on the floor.

I saw the musical instruments in the windows, an intense violin blue, red impassioned trumpets, a yellow fluting alternating with harps in their setting bright and gay.

The panes sang heartily, pouring rubies of light, sapphire notes of sunshine, the beautiful sound of topaz, over the vision of the place between the confessional tones of the pillars and the quiet absolving roof.

Suddenly the great organ beamed forth, a blue penetration in all the aisles, its sound red in the bays, yellow in the chancel, white on the choir screen.

Presently the candles of the deep trembled.

The heights were an agitation of lightning.

And then thunder poured forth a darkness from the uttermost mystery on blinded eyes and unforgettably deafened ears.

Euros Bowen

12

DATHLIAD O FYWYD

Ynghanol newyn a rhyfel
dathlwn yr addewid o ddigon a heddwch.
Ynghanol gorthrwm a gormes
dathlwn yr addewid o wasanaeth a rhyddid.
Ynghanol amheuaeth ac anobaith
dathlwn yr addewid o ffydd a gobaith.
Ynghanol ofn a brad
dathlwn yr addewid o lawenydd a ffyddlondeb.
Ynghanol casineb a marwolaeth
dathlwn yr addewid o gariad a bywyd.
Ynghanol pechod a gwiwedigaeth
dathlwn yr addewid o waredigaeth ac adnewyddiad.
Ynghanol marwolaeth ar bob llaw
dathlwn addewid y Crist byw.

13

CREADIGAETH MEWN GWEWYR

Nid yw dioddefiadau'r presennol i'w cymharu â'r gogoniant y mae'r dyfodol i'w ddatguddio i ni.
Gwelais nef newydd a daear newydd; oherwydd y pethau cyntaf a aeth heibio.
Y mae'r greadigaeth yn disgwyl yn daer am i blant Duw gael eu datguddio.
Gwelais nef newydd a daear newydd; oherwydd y pethau cyntaf a aeth heibio.
Darostyngwyd y greadigaeth i oferedd, nid o'i dewis ei hun, ond trwy'r hwn a'i darostyngodd.
Gwelais nef newydd a daear newydd; oherwydd y pethau cyntaf a aeth heibio.
Gwyddom y caiff y greadigaeth hithau ei rhyddhau o gaethiwed a llygredigaeth a'i dwyn i ryddid a gogoniant plant Duw.
Gwelais nef newydd a daear newydd; oherwydd y pethau cyntaf a aeth heibio.
Gwyddom fod yr holl greadigaeth yn ochneidio ac mewn gwewyr drwyddi, hyd heddiw. Ac nid y greadigaeth yn unig, ond nyni sydd â blaenffrwyth yr ysbryd gennym, yr ydym ninnau'n ochneidio ynom ein hunain wrth ddisgwyl am y mabwysiad yn blant Duw, a rhyddhad ein corff o gaethiwed.
Gwelais nef newydd a daear newydd; oherwydd y pethau cyntaf a aeth heibio.

WCC

11

12

CELEBRATION OF LIFE

In the midst of hunger and war
we celebrate the promise of plenty and peace.
In the midst of oppression and tyranny
we celebrate the promise of service and freedom.
In the midst of doubt and despair
we celebrate the promise of faith and hope,
In the midst of fear and betrayal
we celebrate the promise of joy and loyalty.
In the midst of hatred and death
we celebrate the promise of love and life.
In the midst of sin and decay
we celebrate the promise of salvation and renewal.
In the midst of death on every side
we celebrate the promise of the living Christ.

Edmund Jones

13

CREATION IN TRAVAIL

The sufferings of this present time are not worth comparing with the glory that is to be revealed.
I saw a new heaven and a new earth, for the former things had passed away.
The creation waits with eager longing for the revealing of the children of God.
I saw a new heaven and a new earth, for the former things had passed away.
The creation was subjected to futility, not of its own will but by the will of him who subjected it in hope.
I saw a new heaven and a new earth, for the former things had passed away.
The creation itself will be set free from its bondage to decay and obtain the glorious liberty of the children of God.
I saw a new heaven and a new earth, for the former things had passed away.
The whole creation has been groaning in travail together until now; and not only the creation, but we ourselves, who have the first fruit of the Spirit, groan inwardly as we wait for adoption as sons and daughters, the redemption of our bodies.
I saw a new heaven and a new earth, for the former things had passed away.

WCC

14

'Diolchgarwch yw'r porth i holl roddion a grasusau Duw.'

Isaac y Syriad

'Thanksgiving is the gateway of all God's gifts and graces.'

Isaac the Syrian

15

GOOD

The old man comes out on the hill
and looks down to recall earlier days
in the valley. He sees the stream shine,
the church stands, hears the litter of
children's voices. A chill in the flesh
tells him that death is not far off
now: it is the shadow under the great boughs
of life. His garden has herbs growing.
The kestrel goes by with fresh prey
in its claws. The wind scatters the scent
of wild beans. The tractor operates
on the earth's body. His grandson is there
ploughing; his young wife fetches him
cakes and tea and a dark smile. It is well.

R.S. Thomas

16

Rhyfedd, rhyfedd gan angylion,
   Rhyfeddod mawr ffydd,
Gweld Rhoddwr bod, Cynhaliwr helaeth
   A Rheolwr pob peth sydd,
Yn y preseb mewn cadachau
   A heb le i roi'i ben i lawr,
Eto disglair lu'r gogoniant
   'N ei addoli 'n Arglwydd mawr.

Ann Griffiths

17

Morning glory, starlit sky,
Leaves in springtime, swallows' flight,
Autumn gales, tremendous seas,
Sounds and scents of summer night;

Soaring music, tow'ring words,
Art's perfection, scholar's truth,
Joy supreme of human love,
Memory's treasure, grace of youth;

Open, Lord, are these, Thy gifts,
Gifts of love to mind and sense;
Hidden is love's agony,
Love's endeavour, love's expense.

Love that gives gives ever more,
Gives with zeal, with eager hands,
Spares not, keeps not, all outpours,
Ventures all, its all expends.

Drained is love in making full;
Bound in setting others free;
Poor in making many rich;
Weak in giving power to be.

Therefore He Who Thee reveals
Hangs, O Father, on that Tree
Helpless; and the nails and thorns
Tell of what Thy love must be.

Thou art God; no monarch Thou
Thron'd in easy state to reign;
Thou art God, Whose arms of love
Aching, spent, the world sustain.

W. H. Vanstone: *'Love's Endeavour, Love's Expense'*

18

PIED BEAUTY

Glory be to God for dappled things —
    For skies of couple-colour as a brinded cow;
        For rose-moles all in stipple upon trout that swim;
Fresh-firecoal chestnut-falls; finches' wings;
    Landscape plotted and pieced — fold, fallow, and plough;
        And áll trádes, their gear and tackle and trim.
All things counter, original, spare, strange;
    Whatever is fickle, freckled (who knows how?)
        With swift, slow; sweet, sour; adazzle, dim;
He fathers-forth whose beauty is past change:
                    Praise him.
                    Gerard Manley Hopkins

19

Diolch i ti, fy Arglwydd Iesu Grist,
am yr holl ddoniau a roddaist i mi,
am yr holl boenau a'r sarhad
a ddygaist drosof.
O drugarocaf Waredwr, Gyfaill a Brawd,
bydded i mi dy adnabod yn gliriach,
dy garu'n anwylach,
a'th ddilyn yn agosach,
ddydd ar ôl dydd.

       St. Richard o Chichester.

20

A: Daethost i wybod beth yr oeddem yn ei wneud ac fe wnaethost
                ymyrryd:
  'Tyrd i'w wneud gyda mi', meddaist.

P: *Felly, diolch, Arglwydd, am ymyrryd yn ein bywydau preifat.*

A: Ni wnaethost addo dim yn nhermau llwyddiant, cydnabyddiaeth,
  eiddo na gwobr. 'Fe ddaw'r pethau yma ar yr amser iawn pan fyddi
  di'n cerdded gyda mi', meddaist.

P: *Felly, diolch, Arglwydd, am beidio ag addo dim i ni.*

A: Ni roddaist unrhyw adnoddau heblaw ni ein hunain —
  dwylo er mwyn gofalu
  gwefusau er mwyn clodfori
  calonnau er mwyn caru.
  A'r Ysbryd Glân i'n gwneud yn anesmwyth nes i ni newid.

P: *Felly, diolch, Arglwydd, am y rhoddion angenrheidiol.*

A: Yna, ar yr union adeg pan oeddem ni'n glir ynglŷn â'r
  cyfeiriad y dylem fynd a'r hyn y dylem ei wneud; ar yr union
  adeg pan oeddem yn barod i herio'r byd, dyma tithau'n dod
  fel cardotyn i'r drws cefn, yn dweud, 'Dyma'r ffordd,
  Myfi yw'r ffordd'.

P: *Felly, diolch, Arglwydd, am ddod eto a'n cadw'n iawn, a dangos
  dy fod yn gofalu amdanom ni a thros bawb. Amen.*

                  Iona

19

Thanks be to you, my Lord Jesus Christ,
for all the benefits which you have given me,
for all the pains and insults
which you have borne for me.
O most merciful Redeemer, Friend and Brother,
may I know you more clearly,
love you more dearly,
follow you more nearly,
day by day.

St. Richard of Chichester.

20

L: You found out what we were doing and you interfered:
      "Come and do it with me", you said.
A: *So thank you, Lord, for interfering in our private lives.*
L: You promised us nothing by way of success, recognition,
      possessions or reward, "These things will come at
      the right time when you walk with me" you said.
A: So thank you, Lord for promising us nothing.
L: You gave us no resources apart from ourselves —
      hands meant for caring
      lips meant for praising
      hearts meant for loving
      And the Holy Spirit to make us restless until we change.
A: *So thank you, Lord, for the essential gifts.*
L: Then just as we've got it right as to where we should go
      and what we should do; just when we're ready to
      take on the world, you come, like a beggar to
      our back door saying "This is the way,
      I am the way".
A: *So thank you, Lord, for coming again and keeping us right,
      and showing you care for us and for all people. Amen.*

Iona

GWEDDI

Y mae'r Ysbryd yn ein cynorthwyo yn ein gwendid.
Oherwydd ni wyddom ni sut y dylem weddïo, ond y
mae'r Ysbryd ei hun yn ymbil trosom ag ocheneidiau y tu
hwnt i eiriau.

Rhufeiniaid 8 : 26

Crea galon lân ynof, O Dduw, rho ysbryd newydd
cadarn ynof.

Salm 51 : 10

Os cyffeswn ein pechodau, y mae ef yn ffyddlon ac yn
gyfiawn, ac fe faddeua, felly, i ni ein pechodau, a'n
glanhau o bob anghyfiawnder.

I Ioan 1 : 9

Deled dy deyrnas, gwneler dy ewyllys, ar y ddaear fel yn
y nef.

Mathew 6 : 10

Felly, cyffeswch eich pechodau i'ch gilydd, a
gweddïwch dros eich gilydd, er mwyn i chwi gael
iachâd.

Iago 5 : 16

DARLLENIADAU

Salm 51	Gweddi am faddeuant
2 Cronicl 7 : 14-15	Os fy mhobl . . .
Daniel 9 : 4-19	Gweddi dros y genedl
I Timotheus 2 : 1-7	Dros yr holl bobl
I Ioan 1 : 5-10	Goleuni yw Duw

21

'Does dim gwahaniaeth sut y gweddïwch ond i chi
beidio â rhoi'r gorau i weddïo . . .
Ffrwyth gwir weddi yw gostyngeiddrwydd a chariad
tuag at eich cymydog.'
Staretz Amvrosy

22

'Gweddïa fel y gelli, nid fel na elli.'
Dom John Chapman

The Spirit also comes to help us, weak as we are. For we do not know how we ought to pray; the Spirit himself pleads with God for us in groans that words cannot express.

Romans 8 : 26

Create a pure heart in me, O God, and put a new and loyal spirit in me.

Psalm 51 : 10

If we confess our sins to God, he will keep his promise and do what is right: he will forgive us our sins and purify us from all wrong-doing.

I John 1 : 9

May your kingdom come; may your will be done on earth as it is in heaven.

Matthew 6 : 10

Confess your sins to one another and pray for one another, so that you will be healed.

James 5 : 16

READINGS

Psalm 51 — A prayer for forgiveness
2 Chronicles 7 : 14-15 — If my people . . .
Daniel 9 : 4-19 — A prayer for the nation
I Timothy 2 : 1-7 — For all people
I John 1 : 5-10 — God is light

21

'It does not matter how you pray as long as you do not leave prayer . . .
The fruit of true prayer is humility and love of your neighbour.'
Staretz Amvrosy

22

'Pray as you can, not as you can't.'
Dom John Chapman

23

CREDAF, OND CYNYDDA FY FFYDD

Credaf, er bod popeth yn dy guddio rhag fy ffydd.
Credaf, er bod popeth yn llefain, Na!
canys Duw digyfnewid yw sylfaen fy ffydd,
Duw sy'n gariad.

Credaf, er bod popeth fel petai'n marw.
Credaf, er nad wyf bellach yn dymuno byw,
canys gair diffuant yw sylfaen fy mywyd,
gair Cyfaill, gair Duw.

Credaf, er bod popeth yn terfysgu fy mod.
Credaf, er fy mod yn teimlo'n unig mewn poen,
canys nid yw Cristion sydd â'r Arglwydd yn Gyfaill
yn gwamalu mewn anobaith ond saif yn gadarn mewn
ffydd.

Credaf, er fy mod yn gweld pobl yn casáu.
Credaf, er fy mod yn gweld plant yn wylo,
canys dysgais gyda sicrwydd ei fod yn dyfod i'n
cyfarfod
yn yr oriau mwyaf anodd, gyda'i gariad a'i oleuni.

Credaf, ond cynydda fy ffydd.

Allan o *'Livro de Cantos'*, Centro Social
Pe. Joao Calabria, Porte Alegre, 1977.

24

KNEELING

Moments of great calm,
Kneeling before an altar
Of wood in a stone church
In summer, waiting for the God
To speak; the air a staircase
For silence; the sun's light
Ringing me, as though I acted
A great rôle. And the audiences
Still; all that close throng
Of spirits waiting, as I,
For the message.
            Prompt me, God;
But not yet. When I speak,
Though it be you who speak
Through me, something is lost.
The meaning is in the waiting.
            R.S. Thomas

23

I BELIEVE, BUT INCREASE MY FAITH

I believe, although everything hides you from my
faith.
I believe, although everything shouts No! to me,
because I have based my faith on an immutable God,
a God who does not change, a God who is love.

I believe, although everything may seem to die.
I believe, although I no longer would wish to live,
because I have founded my life on a sincere word,
on the word of a Friend, on the word of God.

I believe, although everything revolts my being.
I believe, although I feel alone in pain,
because a Christian who has the Lord for Friend
does not waver in doubt, stands fast in faith.

I believe, although I see men hating.
I believe, although I see children weep,
because I have learnt with certainty that he comes to
meet us
in the hardest hours, with his love and his light.

I believe, but increase my faith.

From the book *'Livro de Cantos'*, Centro Social
Pe. Joao Calabria, Porte Alegre, 1977.

25

PRAYER

Prayer the Churches banquet, Angels age,
   God's breath in man returning to his birth,
   The soul in paraphrase, heart in pilgrimage,
The Christian plummet sounding heav'n and earth;
Engine against th' Almightie, sinners towre,
   Reversed thunder, Christ-side-piercing spear,
   The six-daies world transposing in an houre,
A kinde of tune, which all things heare and fear;
Softnesse, and peace, and joy, and love, and blisse,
   Exalted Manna, gladness of the best,
   Heaven in ordinarie, man well drest,
The milkie way, the bird of Paradise,
Church-bels beyond the starres heard, the souls bloud,
The land of spices; something understood.
                 George Herbert

26

GALW NI, UNWAITH ETO

Dduw y Crëwr,
yn anadlu dy fywyd dy hun i mewn i'n bod ni,
rhoddaist i ni rodd bywyd:
Gosodaist ni ar y ddaear hon
   gyda'i mwynau a'i dyfroedd,
   ei blodau a'i ffrwythau,
   ei chreaduriaid byw, hawddgar a phrydferth.
Heddiw, 'rwyt yn ein galw ni:
"Ble 'rwyt ti; beth 'rwyt wedi ei wneud?"
          (tawelwch)
'Rydym yn cuddio mewn cywilydd llwyr, oherwydd
              'rydym yn noeth.
  'Rydym yn treisio'r ddaear ac yn ei dinoethi:
  'Rydym yn gwrthod rhannu adnoddau'r ddaear;
     'Rydym yn ceisio perchnogi yr hyn nad yw'n
             eiddo i ni, ond yn eiddo i ti.
Maddau i ni, Dduw y crëwr, a chymoda ni â'th gread.
Dduw cariad,
rhoddaist i ni rodd pobloedd—
  o ddiwylliannau, hiliau a lliwiau,
  i'w caru, i ofalu drostynt, i rannu'n bywyd â nhw.
Heddiw 'rwyt yn gofyn i ni:
"Ble mae dy frawd, dy chwaer?"
          (tawelwch)
'Rydym yn ein cuddio'n hunain mewn cywilydd ac ofn.
  Mae tlodi, newyn, casineb a rhyfel yn rheoli'r ddaear;
  Mae'r ffoaduriaid, y gorthrymedig a'r rhai heb lais yn
  llefain atat ti.
Maddau i ni, Dduw cariad, a chymoda ni â'n gilydd.
DYSG NI, DDUW Y CREU A'R CARU,
FOD Y DDAEAR A'I HOLL LAWNDER YN EIDDO I TI,
Y BYD A'R RHAI SY'N BYW YNDDO.
GALW NI UNWAITH ETO, I WARCHOD Y RHODD O FYWYD.

                                             WCC

27

GWEITHRED O EDIFEIRWCH

Arglwydd, y mae'n calonnau yn drymion gan ddioddefiadau'r oesau,
gan ryfeloedd ac ymgyrchoedd gwaedlyd mil o filoedd o flynyddoedd.
Y mae gwaed y rhai a laddwyd yn dal yn gynnes,
y mae eu cri ingol yn dal i lenwi'r nos.
Atat ti y dyrchafwn ein dwylo estynedig.
Sychedwn amdanat mewn tir sychedig.

Prayers

26

CALL US, YET AGAIN

Creator God,
breathing your own life into our being,
you gave us the gift of life:
You placed us on this earth
   with its minerals and waters,
   flowers and fruits,
   living creatures of grace and beauty!
You gave us the care of the earth.
Today you call us:
"Where are you; what have you done?"
(silence)
We hide in utter shame, for we are naked.
   We violate the earth and plunder it;
   We refuse to share the earth's resources;
   We seek to own what is not ours, but yours.
Forgive us, creator God, and reconcile us to your creation.
O God of Love
You gave us the gift of people -
   of cultures, races and colours,
   to love, to care for, to share our lives with.
Today you ask us:
"Where is your brother, your sister?"
(silence)
We hide ourselves in shame and fear.
   Poverty, hunger, hatred and war rule the earth;
   The refugees, the oppressed and voiceless
   cry out to you.
Forgive us, O God of love, and reconcile us to yourself and to one another.
TEACH US, O CREATOR GOD OF LOVE,
THAT THE EARTH AND ALL ITS FULLNESS IS YOURS,
THE WORLD AND THOSE WHO DWELL IN IT.
CALL US YET AGAIN TO SAFEGUARD THE GIFT OF LIFE.

WCC

27

AN ACT OF PENITENCE

O Lord, our hearts are heavy
with the sufferings of the ages,
with the crusades and the holocausts
of a thousand thousand years.
The blood of the victims is still warm,
The cries of anguish still fill the night.
To you we lift our outspread hands.
We thirst for you in a thirsty land.

Arglwydd, yr hwn wyt yn ein caru ni fel tad,
yn gofalu drosom fel mam,
A ddaethost i rannu'n bywyd fel brawd,
cyffeswn o'th flaen ein methiant i fyw fel plant i ti,
brodyr a chwiorydd wedi'n clymu ynghyd mewn cariad.
Atat ti y dyrchafwn ein dwylo estynedig.
Sychedwn amdanat mewn tir sychedig.
'Rydym wedi gwastraffu rhodd bywyd.
Mae bywyd da rhai
wedi ei adeiladu ar boen llawer;
pleser yr ychydig
ar ing y miliynau.
Atat ti y dyrchafwn ein dwylo estynedig.
Sychedwn amdanat mewn tir sychedig.
Addolwn farwolaeth yn ein hymgais am berchnogi mwy a mwy o bethau:
addolwn farwolaeth yn ein dyhead am
ein diogelwch ein hunain, ein goroesiad ein hunain, ein heddwch ein
hunain;
fel petai'n bosibl rhannu bywyd,
fel petai'n bosibl rhannu cariad,
fel pe na bai Crist wedi marw dros bawb.
Atat ti y dyrchafwn ein dwylo estynedig;
Sychedwn amdanat mewn tir sychedig.
Arglwydd, maddau ein bod yn chwilio am fywyd drwy wadu bywyd,
a dysg i ni o'r newydd beth mae'n ei olygu i fod yn blant i ti.
Atat ti y dyrchafwn ein dwylo estynedig.
Sychedwn amdanat mewn tir sychedig

WCC

28

Cyffeswn, O Arglwydd, ein bod yn byw gyda nerthoedd demonaidd trais:
ein bod yn tyfu'n gyfoethog yn ddyddiol drwy orthrymu'r tlodion;
ein bod yn cysgu yn llieiniau gwynion hilyddiaeth;
ein bod yn dweud, 'Heddwch, Heddwch', heb wneud heddwch;
ein bod yn treisio ein gwyddoniaeth a'n gwybodaeth yn achos rhyfel;
ein bod wedi gwneud y blaned hon yn beryglus i'n plant;
ein bod wedi colli ysbryd tangnefedd yn rhuthr ein bywydau anhrefnus;
ein bod yn byw mewn amserau drygionus.
Felly 'rydym yn cyfranogi yn y trais drwy ein trais ein hunain,
drwy ein trais difrifol ni ein hunain.
Troesom ein hwyneb oddi wrth wyneb Crist, a'r pethau a berthyn i heddwch.
Arglwydd, trugarha wrthym,
Grist, trugarha wrthym,
Arglwydd, trugarha wrthym,

Iona

O Lord, who loves us as a mother,
who came to share our life as a brother,
we confess before you our failure to live as your children,
brothers and sisters bound together in love.
To you we lift our outspread hands.
We thirst for you in a thirsty land.
We have squandered the gift of life.
The good life of some
is built on the pain of many;
the pleasure of a few
on the agony of millions.
To you we lift our outspread hands.
We thirst for you in a thirsty land.
We worship death in our quest to possess ever more things;
we worship death in our hankering after
our own security, our own survival, our own peace,
as if life were divisible,
as if love were divisible,
as if Christ had not died for all of us.
To you we lift our outspread hands.
We thirst for you in a thirsty land.
O Lord, forgive our life-denying pursuit of life,
and teach us anew what it means to be your children.
To you we lift our outspread hands.
We thirst for you in a thirsty land.

WCC

28

We confess, O Lord, that we live with the demonic powers of violence:
that we grow rich by daily oppression of the poor,
that we sleep in the white sheets of racism,
that we say 'Peace, Peace', but do not make peace,
that we prostitute our science and knowledge in the cause of war,
that we have made this planet perilous for our children,
that we have lost the spirit of peace in our restless disordered lives,
that the times we live in are evil.
And so we are accomplices in violence by violence,
by our own most grievous violence.
We turned away our face from the face of Christ,
and the things which belong to peace.
Lord have mercy on us,
Christ have mercy on us,
Lord have mercy on us,

Iona

29

ADFER NI, O ARGLWYDD

Arglwydd Dduw, Hollalluog,
maddau i'th Eglwys
  ei chyfoeth ymhlith y tlodion,
  ei hofn ymhlith yr anghyfiawn,
  ei llwfrdra ymhlith y gorthrymedig,
maddau i ni, dy blant,
  ein diffyg hyder ynot ti,
  ein diffyg gobaith yn dy deyrnasiad,
  ein diffyg ffydd yn dy bresenoldeb,
  ein diffyg ymddiriedaeth yn dy drugaredd.
Adfer ni i'th gyfamod â'th bobl,
  dwg ni i wir edifeirwch;
Dysg ni i dderbyn aberth Crist;
a gwna ni'n gryf yn niddanwch dy Ysbryd Glân.
Dadfeilia ni lle 'rydym yn falch.
Adeilada ni lle 'rydym yn wan.
Cywilyddia ni lle 'rydym yn ymddiried ynom ni ein
                                                hunain.
Rho enw newydd i ni lle 'rydym wedi colli'n hunain:
trwy Iesu Grist ein Harglwydd. Amen.
                                          WCC

30

DROS Y CYMRY

O! Arglwydd Dduw, Duw y duwiau, tra mawr ac ofnadwy, ceidwad cyfamod a thrugaredd i'r rhai a'th garant ac a gadwant dy orchymynion, yr hwn a wyddost ddirgelion calonnau pawb oll, a wyddost hefyd mai gwir ewyllys fy nghalon a'm gweddi atat dros fy nghenedl annwyl yn ôl y cnawd yw ar eu bod yn gadwedig. Canys yr ydwyt yn dyst fod gan lawer ohonynt sêl Duw, eithr nid yn ôl gwybodaeth, oherwydd na wyddant yr Ysgrythurau. Gan hynny, o amldra dy drugaredd yr anfonaist iddynt yn awr dy Air yn helaeth i'w plith. Anfon hefyd iddynt, O! Arglwydd, galonnau diolchgar ac ewyllysgar i'w dderbyn drwy bob llawenydd a pharodrwydd meddwl ac i wneuthur mawr gyfrif ohono fel y llwyddo drwy dy fendith Di yn y peth yr anfonaist ef . . . Gwrando, Arglwydd, o'th breswylfa yn y nefoedd ar weddi dy wasanaethwr gwael. Dyro i mi, ac i'm cenedl yn ôl y cnawd, ddeisyfiadau fy ngwefusau er mwyn dy annwyl Fab Iesu, fy Achubwr a'm Ceidwad; i'r hwn gyda Thi a'r Ysbryd Glân y byddo gogoniant a moliant ymysg fy holl genedl a holl genhedloedd y byd o'r dydd heddiw byth yn dragywydd.

Car-wr y Cymry (Oliver Thomas), 1631

29

RESTORE US, O LORD

Lord God almighty,
forgive your church
   its wealth among the poor,
   its fear among the unjust,
   its cowardice among the oppressed,
forgive us, your children,
   our lack of confidence in you,
   our lack of hope in your reign,
   our lack of faith in your presence,
   our lack of trust in your mercy.
Restore us to your covenant
   with your people;
   bring us to true repentance;
teach us to accept the sacrifice of Christ;
make us strong with the comfort of your Holy Spirit.
Break us where we are proud,
Make us where we are weak,
Shame us where we trust ourselves,
Name us where we have lost ourselves:
Through Jesus Christ our Lord. Amen.

                      WCC

30

FOR THE PEOPLE OF WALES

O! Lord God, God of gods, great and to be feared, keeping covenant and mercy with those who love thee and keep thy commandments, who knowest the secrets of the hearts of all people, and who knowest that my heart's desire and prayer to thee for my dear nation according to the flesh is that they may be saved. For thou dost bear witness that many of them have a zeal for God, but not according to knowledge since they know not the Scriptures. Therefore, from the riches of thy mercy, thou didst now send thy Word in fullness among them. Send to them also, O! Lord, thankful and willing hearts to receive it with all joy and readiness of mind, and to take full account of it that it may succeed through thy blessing, in that for which thou didst send it . . . Listen, Lord, from thy dwelling place in heaven to the prayer of thy poor servant. Grant to me, and to my nation according to the flesh, the requests of my lips, for the sake of thy dear Son, Jesus my Redeemer and Saviour; to whom with thee and the Holy Spirit be glory and praise among my nation and all the nations of the world from this day for ever and ever.

Car-wr y Cymry (The Lover of the People of Wales) (Oliver Thomas), 1631

TEULU DUW

Felly, nid estroniaid a dieithriaid ydych mwyach,
ond cyd-ddinasyddion â'r saint ac aelodau o deulu
Duw.

Effesiaid 2 : 19b

Nid oes y fath beth ag I ddew a Groegwr, caeth a
rhydd, gwryw a benyw, oherwydd un ydych chwi oll
yng Nghrist Iesu.

Galatiaid 3 : 28

Ond yr ydych chwi yn hil etholedig, yn offeiriadaeth
frenhinol, yn genedl sanctaidd, yn bobl o'r eiddo
Duw ei hun, i hysbysu gweithredoedd ardderchog yr
Un a'ch galwodd chwi allan o dywyllwch i'w
ryfeddol oleuni ef.

I Pedr 2 : 9

DARLLENIADAU

Salm 98	Duw, rheolwr y byd
Hosea 11 : 1-4	Cariad Duw tuag at ei bobl.
Marc 4 : 31-35	'Pwy yw fy nheulu?'
Ioan 17	Bydded iddynt oll fod yn un
Rhufeiniaid 12	Corff Crist
Effesiaid 2 : 11-22	Teulu Duw
Effesiaid 3 : 14-21	Ynghyd â'r holl saint

31

Mae gen i freuddwyd y gwelaf y genedl hon yn codi ryw ddydd i fyw yr hyn a ddywed un o erthyglau ei chyfansoddiad: 'Daliwn fod y gwirionedd hwn yn eglur, fod pob dyn yn gydradd.'

Mae gen i freuddwyd y bydd meibion caethweision a meibion eu perchnogion yn abl i eistedd o gwmpas bwrdd brawdgarwch ar fryniau Georgia — ryw ddydd.

Mae gen i freuddwyd y bydd talaith Mississippi hyd yn oed, ryw ddydd, ynys sy'n anial o ormes ac anghyfiawnder, yn cael ei newid i fod yn werddon o ryddid a chyfiawnder.

Mae gen i freuddwyd y bydd fy mhedwar plentyn yn medru byw, ryw ddydd, fel rhan o genedl lle bydd cymeriad yn bwysicach na lliw croen.

Mae gen i freuddwyd heddiw.

Mae gen i freuddwyd: 'pob pant a gyfodir a phob mynydd a bryn a ostyngir, y gŵyr a wneir yn uniawn a'r anwastad yn wastadedd a gogoniant yr Arglwydd a ddatguddir a phob cnawd ynghyd a'i gwêl.'

Dyna ein gobaith. Dyna'r ffydd sydd gen i wrth droi yn ôl i'r De. Gyda'r ffydd hon gallwn gloddio o fynydd ein siom garreg o obaith. Gyda'r ffydd hon medrwn droi disgordiau aflafar ein cenedl yn symffoni hyfryd o frawdgarwch.

Gyda'r ffydd hon gallwn gyd-weithio, cyd-weddïo, cyd-ymdrechu, mynd i garchar gyda'n gilydd, gan wybod y byddwn yn rhydd ryw ddydd.

Martin Luther King

GOD'S FAMILY

You are now fellow-citizens with God's people and members of the family of God.

Ephesians 2 : 19b

So there is no difference between Jews and Gentiles, between slaves and freemen, between men and women; you are all one in union with Christ Jesus.

Galatians 3 : 28

You are the chosen race, the King's priests, the holy nation. God's own people, chosen to proclaim the wonderful acts of God, who called you out of darkness into his own marvellous light.

I Peter 2 : 9

READINGS

Psalm 98	God, the ruler of the world
Hosea 11 : 1-4	God's love for his people
Mark 4 : 31-35	'Who is my family?'
John 17	May they be one
Romans 12	The body of Christ
Ephesians 2 : 11-22	The family of God
Ephesians 3 : 14-21	With all God's people

31

I have a dream that one day this nation will rise up and live out the true meaning of its creed, 'We hold these truths to be self-evident, that all men were created equal'.

I have a dream that one day on the red hills of Georgia, the sons of former slaves and the sons of former slave owners will be able to sit down together at the table of brotherhood.

I have a dream that one day even the state of Mississippi, a state sweltering with the heat of injustice, sweltering with the heat of oppression, will be transformed into an oasis of freedom and justice. I have a dream that my four little children will one day live in a nation where they will not be judged according to the colour of their skin but by the content of their character.

I have a dream today.

I have a dream that one day every valley shall be exalted, every hill and mountain shall be made low, the rough places will be made plain, and the crooked places will be made straight, and the glory of the Lord shall be revealed and all flesh shall see it together. This is our hope. This is the faith that I go back to the South with. With this faith, we will be able to hew out of the mountains of despair a stone of hope. With this faith, we will be able to transform the jangling discords of our nation into a beautiful symphony of brotherhood. With this faith, we will be able to work together, to pray together, to struggle together, to go to jail together, knowing that we will be free one day.

Martin Luther King

32

BRAWDOLIAETH

Mae rhwydwaith dirgel Duw
Yn cydio pob dyn byw;
Cymod a chyflawn we
Myfi, Tydi, Efe.
Mae'n gwerthoedd ynddo'n gudd,
Ei dyndra ydyw'n ffydd;
Mae'r hwn fo'n gaeth yn rhydd.

Mae'r hen frawdgarwch syml
Tu hwnt i ffurfiau'r Deml.
Â'r Lefiad heibio i'r fan,
Plyg y Samaritan.
Myfi, Tydi, ynghyd
Er holl raniadau'r byd —
Efe'n cyfannu'i fyd.

Mae Cariad yn dreftâd
Tu hwnt i Ryddid Gwlad.
Cymerth yr Iesu ran
Yng ngwledd y Publican.
Mae concwest wych nas gwêl
Y Phariseaidd sêl.
Henffych y dydd y dêl.

Mae Teyrnas gref, a'i rhaith
Yw cydymdeimlad maith.
Cymod a chyflawn we
Myfi, Tydi, Efe,
A'n cyfyd uwch y cnawd.
Pa werth na thry yn wawd
Pan laddo dyn ei frawd?

Waldo Williams

Gweddïau

37

GWNA NI'N GYFAN

Dduw Tragwyddol, fel y creaist y ddynoliaeth ar dy ddelw dy hun,
yn wragedd a dynion, gwryw a benyw, adnewydda ni ar dy ddelw.
Dduw yr Ysbryd Glân, trwy dy allu a'th gariad
cysura ni fel rhai y mae mam yn eu cysuro.
Arglwydd Iesu Grist, trwy dy farwolaeth a'th atgyfodiad,
rho i ni lawenydd rhai y mae eu poen a'u dioddefaint
yn troi, trwy obaith, yn ing ffrwythlon.
Dduw y Drindod Sanctaidd, caniatâ i ni gydgerdded
i mewn i'r bywyd newydd, yr orffwysfa gyflawn a
addewaist i ni — fyd heb derfyn. Amen.

WCC

33

In setting us free to be His children, God wants to enlist us in His service as co-workers with Himself in the business of the Kingdom (I Corinthians 3 : 9); we are to labour with God to humanize the universe and to help His children become ever more fully human, which is a glorious destiny — you see, God created us in His image. It was not to animals or spirits that He gave this splendid privilege, and when He chose to intervene decisively in our affairs, He did not come as a magnificent and impressive or awe-inspiring beast or as a glorious spirit, but He became a human being (Hebrews 2 : 16). Thus our humanity is for ever united with divinity. We are temples of the Holy Spirit (I Corinthians 6 : 19). We are God-carriers . . .

Bishop Desmond Tutu: *Hope and Suffering*

34

Christ and his Church are two in one flesh.

St. Augustine of Hippo.

35

Let us be like the lines that lead to the centre of a circle — uniting there, and not like parallel lines, which never join.

Hasidic saying.

36

No man is an island, entire of itself: every man is a piece of the continent, a part of the main; if a clod be washed away by the sea, Europe is the less as well as if a promontory were, as well as if a manor of thy friends or of thine were. Any man's death diminishes me, because I am involved in mankind. And therefore never send to know for whom the bell tolls; it tolls for thee.

John Donne

Prayers

37

GRANT US WHOLENESS
Eternal God, as you created humankind in your image,
women and men, male and female, renew us in that image:
God the Holy Spirit, by your strength and love
comfort us as those whom a mother comforts:
Lord Jesus Christ, by your death and resurrection,
give us the joy of those for whom pain and
suffering become, in hope, the fruitful agony of travail:
God the Holy Trinity, grant that we may together
enter into new life, your promised rest of achievement
and fulfilment — world without end. Amen.

WCC

38

RHO I NI DANGNEFEDD AC UNDOD

Gyfeillion annwyl, gadewch i ni garu'n gilydd,
oherwydd o Dduw y mae cariad, ac y mae pob un
sy'n caru wedi ei eni o Dduw, ac yn adnabod Duw.
Iesu Grist, bywyd y byd a'r holl greadigaeth,
Maddau ein dieithrwch a dyro dangnefedd ac undod.
Bydded i dangnefedd Crist lywodraethu yn eich calonnau;
i hyn y cawsoch eich galw yn un corff.
Iesu Grist, bywyd y byd a'r holl greadigaeth,
Maddau ein dieithrwch a dyro dangnefedd ac undod.
Gwnaeth y ddau yn un, wedi chwalu trwy ei gnawd ei
hun y canolfur o elyniaeth oedd yn eu gwahanu . . .
Creodd o'r ddau un ddynoliaeth newydd . . . mewn un
corff, trwy'r Groes; trwyddi hi fe laddodd yr elyniaeth.
Ynddo ef yr ydych chwithau hefyd yn cael eich
cyd-adeiladu i fod yn breswylfod i Dduw yn yr Ysbryd.
Iesu Grist, bywyd y byd a'r holl greadigaeth,
Maddau ein dieithrwch a dyro dangnefedd ac undod.
Ymrowch i gadw, â rhwymyn tangnefedd, yr undod
y mae'r Ysbryd yn ei roi. Un corff sydd, ac un
Ysbryd, yn union fel mai un yw'r gobaith sy'n ymhlyg
yn eich galwad.
Iesu Grist, bywyd y byd a'r holl greadigaeth,
Maddau ein dieithrwch a dyro dangnefedd ac undod.
UN ARGLWYDD, UN FFYDD, UN BEDYDD, UN DUW A THAD I
BAWB, YR HWN SYDD GORUWCH PAWB, A THRWY BAWB, AC
YM MHAWB.

WCC

38

GRANT US PEACE AND UNITY.
Dear Friends, let us love one another, because love comes from God.
Whoever loves is a child of God and knows God.
Jesus Christ, the life of the world, and of
all creation, forgive our separation and
grant us peace and unity.
The peace that Christ gives is to guide you
in the decisions you make; for it is to this
peace that God has called you together in
the one body.
Jesus Christ, the life of the world, and of all
creation, forgive our separation and grant
us peace and unity.
With his own body he broke down the wall that .
separates them . . . by his death on the cross
Christ destroyed their enmity . . . by means of
the cross he united both races into one body . . .
In union with him you too are being built
together with all others into a place where
God lives through his Spirit.
Jesus Christ, the life of the world, and of
all creation forgive our separation and
grant us peace and unity.
Do your best to preserve the unity which the
Spirit gives by means of the peace that binds
you together. There is one body, one Spirit,
just as there is one hope to which God has
called you.
Jesus Christ, the life of the world, and of
all creation, forgive our separation and
grant us peace and unity.
THERE IS ONE LORD, ONE FAITH, ONE BAPTISM:
THERE IS ONE GOD WHO IS LORD OF ALL, WORKS
THROUGH ALL AND IN ALL. AMEN.

WCC

39

GWEDDI AM GYMOD

Ar draws y rhwystrau sy'n gwahanu hil oddi wrth hil,
Cymod ni, O Grist, drwy dy groes.
Ar draws y rhwystrau sy'n gwahanu'r cyfoethog oddi
wrth y tlawd:
Cymod ni, O Grist, drwy dy groes.
Ar draws y rhwystrau sy'n gwahanu pobl o grefyddau
gwahanol, anffyddwyr a chredinwyr.
Cymod ni, O Grist, drwy dy groes.
Ar draws y rhwystrau sy'n gwahanu Cristnogion o
eglwysi gwahanol a chyda safbwyntiau diwinyddol
gwahanol:
Cymod ni, O Grist, drwy dy groes.
Ar draws y rhwystrau sy'n gwahanu'r ifanc oddi wrth
yr hen:
Cymod ni, O Grist, drwy dy groes.
DANGOS I NI, O GRIST, Y RHAGFARNAU A'R OFNAU CUDD
SY'N GWADU AC YN BRADYCHU EIN GWEDDIAU CYHOEDDUS,
GALLUOGA NI I WELD ACHOS Y GYNNEN: DILEA YNOM
BOB FFUG SYNIAD O RAGORIAETH. DYSG I NI DYFU
MEWN UNDOD Â HOLL BLANT DUW. AMEN.

40

GWNA NI'N UN

O Arglwydd Iesu, ymestyn dy ddwylo clwyfedig
mewn bendith dros dy bobl, i'w hiacháu a'u
hadfer, a'u tynnu atat ti dy hun ac at ei gilydd
mewn cariad.

(Y Dwyrain Canol)
O Dduw, 'rwyt ti'n un, gwna ninnau'n un.

O Dduw, maddau i ni am ddwyn maen tramgwydd ein
rhaniadau at bobl sydd am berthyn i un teulu.
Y mae'r Eglwys y bu ein Gwaredwr farw drosti wedi
ei rhwygo, a phrin y gall pobl gredu ein bod yn
glynu wrth un ffydd ac yn dilyn un Arglwydd.
O Arglwydd, rho'r undod a addewaist, nid yfory
na thrennydd ond heddiw.

(Yr Affrig)

39

PRAYER FOR RECONCILIATION

Across the barriers that divide race from race;
Reconcile us, O Christ, by your cross.
Across the barriers that divide the rich from the poor:
Reconcile us, O Christ, by your cross.
Across the barriers that divide people of different faiths:
Reconcile us, O Christ, by your cross.
Across the barriers that divide Christians of different churches
and different theological outlooks:
Reconcile us. O Christ, by your cross.
Across the barriers that divide men and women, young and old:
Reconcile us. O Christ, by your cross.
CONFRONT US, O CHRIST, WITH THE HIDDEN
PREJUDICES AND FEARS WHICH DENY AND BETRAY
OUR PRAYERS. ENABLE US TO SEE THE CAUSES
OF STRIFE, REMOVE FROM US ALL FALSE SENSE OF
SUPERIORITY. TEACH US TO GROW IN UNITY WITH
ALL GOD'S CHILDREN. AMEN.

40

MAKE US ONE

O Lord Jesus, stretch forth thy wounded hands
in blessing over thy people, to heal and to
restore, and to draw them to thyself and to
one another in love.

(Middle East)

O God, thou art one; make us one.

O God, forgive us for bringing this stumbling
block of disunity to a people who want to
belong to one family. The church for which
our Saviour died is broken, and people
can scarcely believe that we hold one faith
and follow one Lord. O Lord, bring about the
unity which thou hast promised, not
tomorrow or the next day, but today.

(Africa)

O Dduw, 'rwyt ti'n un, gwna ninnau'n un.

O Arglwydd, maddau bechodau dy weision. Bydded
i ni alltudio o'n meddwl bob ymraniad ac ymrafael;
bydded i'n heneidiau gael eu glanhau o bob casineb
a malais tuag at eraill, a bydded i ni dderbyn
cymdeithas y Swper Sanctaidd mewn undod meddwl
ac mewn heddwch â'n gilydd.

(India)

O Dduw, 'rwyt ti'n un, gwna ninnau'n un.

Fel y gwasgarwyd y bara a dorrwn dros wyneb y
ddaear ac y casglwyd ef ynghyd nes dod yn un,
dwg ni ynghyd o bob man i mewn i Deyrnas dy
dangnefedd.

(Yr Epistol at Diognetus)

O Dduw, 'rwyt ti'n un, gwna ninnau'n un.

CMS

41

Rasusol Dad, ni a erfyniwn yn ostyngedig arnat dros dy Eglwys Lân Gatholig.
Llanw hi â phob gwirionedd; yn ei holl wirionedd llanw hi â phob tangnefedd.
Lle y mae'n llygredig, glanha hi;
lle y mae mewn camwedd, cyfarwydda hi;
lle y mae'n ofergoelus, cywira hi;
lle y mae dim o'i le, diwygia hi;
lle y mae mewn eisiau, cyflenwa hi;
lle y gwahanwyd hi a'i rhannu, cyfanna ei rhwygiadau,
O! Sanct Israel; er mwyn Iesu Grist ein Harglwydd a'n Hiachawdwr. Amen.

William Laud 1573-1645

42

AM HEDDWCH
Fe'th folwn di, Ysbryd Glân, ein Heiriolwr a'n Diddanydd.
Helpa ni i gyffesu bywyd
ynghanol marwolaeth,
gan ein cynnal wrth i ni wynebu grym distryw,
a'n hannog i dorri ein cleddyfau yn sychau
a'n gwaywffyn yn bladuriau;
fel bo bleiddiaid a defaid
yn byw ynghyd mewn tangnefedd,
bywyd yn cael ei ddathlu,
a'r greadigaeth yn cael ei hadfer
fel cylch y rhai byw.
Ysbryd Glân, fe'th folwn di;
helpa ni i gyffesu bywyd
ynghanol marwolaeth.

WCC

O God, thou art one; make us one.

O Lord, forgive the sins of thy servants.
May we banish from our minds all disunion
and strife; may our souls be cleansed of
all hatred and malice towards others, and
may we receive the fellowship of the Holy Meal
in oneness of mind and peace with one another.

(India)

O God, thou art one; make us one.

Just as the bread which we break was scattered
over the earth, was gathered in and became
one, bring us together from everywhere into
the kingdom of your peace.

(Epistle to Diognetus)

O God, thou art one; make us one.

CMS

41

Gracious Father, we humbly beseech thee for thy Holy Catholic Church.
Fill her with all truth; in all her truth fill her with all peace.
Where she is corrupt, cleanse her;
where she is in transgression, guide her;
where she is superstitious, correct her;
where there is anything out of place, reform her;
where she is in need, fulfill her;
where she is separated and divided, heal her divisions,
O! Holy One of Israel; for the sake of Jesus Christ our Lord and Saviour. Amen.

William Laud 1573-1645

42

FOR PEACE
We praise you, Holy Spirit, our Advocate and Comforter.
Help us to affirm life
in the midst of death,
supporting us as we confront the power of destruction,
urging us to hammer swords into ploughs
and spears into pruning knives;
so that wolves and sheep
live together in peace,
life is celebrated,
creation is restored
as the sphere of the living.
Holy Spirit, we praise you;
help us to affirm life
in the midst of death.

WCC

Am hynny cadwn yr ŵyl, nid â'r hen lefain, nac ychwaith â lefain drygioni a llygredd, ond â bara croyw purdeb a gwirionedd.

I Corinthiaid 5 : 8

Myfi yw bara'r bywyd. Ni bydd eisiau bwyd byth ar y sawl sy'n dod ataf fi, ac ni bydd syched byth ar y sawl sy'n credu ynof fi.

Ioan 6 : 35

Myfi yw'r winwydden; chwi yw'r canghennau. Y mae'r hwn sydd yn aros ynof fi, a minnau ynddo ef, yn dwyn llawer o ffrwyth, oherwydd ar wahân i mi ni allwch wneud dim.

Ioan 15 : 5

DARLLENIADAU

Jeremeia 31 : 27-34	Y Cyfamod Newydd
Marc 14 : 22-25	Swper yr Arglwydd
Ioan 6 : 35-58	Iesu, bara'r bywyd
Ioan 13 : 1-20	Iesu'n golchi traed y disgyblion
I Corinthiaid 11 : 23-29	Cyhoeddi marwolaeth yr Arglwydd

43

Tydi dy hun yw'r un sy'n offrymu a'r un a offrymir, yr un sy'n derbyn a'r un a rennir.

o Litwrgi Sant Ioan Chrysostom

44

Yn yr hyn y mae'r Eglwys yn ei offrymu, fe'i hoffrymir hi ei hun. Os dymunwch wybod beth yw ystyr 'corff Crist', gwrandewch ar yr apostol yn dweud wrth y ffyddloniaid, 'Chwi yw corff Crist a'i aelodau' (I Cor. 12 : 27). Eich dirgelwch eich hunain a osodir ar fwrdd yr Arglwydd, eich dirgelwch eich hunain a dderbyniwch. I'r hyn yr ydych chwi, fe atebwch, 'Amen', ac wrth ateb cydsyniwch. Oherwydd clywch y geiriau 'corff Crist', ac fe atebwch, 'Amen'. Byddwch yn aelod o gorff Crist, fel y byddo'r *Amen* yn wir. Os derbyniasoch yn dda, yr *ydych* yr hyn a dderbyniasoch. 'Rydych chwi yno ar y bwrdd, 'rydych chwi yno yn y cwpan.

Awstin Sant

EUCHARIST

Let us celebrate the festival, not with the old leaven, the leaven of malice and evil, but with the unleavened bread of sincerity and truth.

I Corinthians 5 : 8 (RSV)

I am the bread of life. He who comes to me will never be hungry; he who believes in me will never be thirsty.

John 6 : 35

I am the vine, and you are the branches. Whoever remains in me, and I in him, will bear much fruit; for you can do nothing without me.

John 15 : 5

READINGS

Jeremiah 31 : 27-34	The new covenant
Mark 14 : 22-25	The Lord's Supper
John 6 : 35-58	Jesus, the bread of life
John 13 : 1-20	Jesus washes the disciples' feet
I Corinthians 11 : 23-29	Proclaim the Lord's death

43

Thou art thyself both he who offers and he who is offered, he who receives and he who is distributed.

Liturgy of St. John Chrysostom

44

In the very thing that the Church offers, she herself is offered. If you wish to understand what is meant by 'the Body of Christ', listen to the apostle saying to the faithful, 'You are the Body of Christ and his members' (I Cor. 12 : 27). It is the mystery of yourselves that is laid on the Lord's table; it is the mystery of yourselves that you receive. To that which you are, you answer 'Amen', and in answering you assent. For you hear the words 'the Body of Christ', and you reply 'Amen'. Be a member of the Body of Christ, that the *Amen* may be true. If you have received well, you *are* that which you have received. There you are on the table, there you are in the chalice.

St. Augustine

45

DIFIAU DYRCHAFAEL

Beth sydd ymlaen fore o Fai ar y bronnydd?
Edrychwch arnynt, ar aur y banadl a'r euron
A'r wenwisg loyw ar ysgwyddau'r ddraenen
Ac emrallt astud y gwellt a'r lloi llonydd;

Gwelwch ganhwyllbren y gastanwydden yn olau,
Y perthi'n penlinio a'r lleian fedwen fud,
Deunod y gog dros ust llathraid y ffrwd
A'r rhith tarth yn gwyro o thuser y dolau:

Dowch allan, ddynion, o'r tai cyngor cyn
Gwasgar y cwning, dowch gyda'r wenci i weled
Codi o'r ddaear afrlladen ddifrycheulyd
A'r Tad yn cusanu'r Mab yn y gwlith gwyn.
                    Saunders Lewis

46

LOVE

Love bade me welcome; yet my soul drew back
    Guilty of dust and sinne.
But quick-ey'd Love, observing me grow slack
    From my first entrance in,
Drew nearer to me, sweetly questioning,
    If I lack'd any thing.
A guest, I answer'd, worthy to be here:
    Love said, you shall be he.
I the unkinde, ungrateful? Ah my deare,
    I cannot look on thee.
Love took my hand, and smiling did reply,
    Who made the eyes but I?
Truth Lord, but I have marr'd them: let my shame
    Go where it doth deserve.
And know you not, sayes Love, who bore the blame?
    My deare, then I will serve.
You must sit down, sayes Love, and taste my meat:
    So I did sit and eat.
                    George Herbert

47

JOY
Some things will not bear too close inspection;
Look closely and the bubbles become soap and water,
The leaves are just green leaves with the sun behind them,
Even the bread and wine tastes like ordinary bread and wine,
And the glory that was there only a second ago
has become everyday.
For a moment you glimpsed the joy of all things
in their own creation,
But the moment refuses to become a pause,
and you cannot go back to it.

But the joy is real,
And the glory remains whether you can see it or not.
The sun no longer glistens the bubbles with rainbow gold
But it shines constant behind the cloud;
The green leaves still proclaim the miracle of a tree's living;
And the bread and wine await only the catalyst of faith
To mediate the reality which is joy itself
And the humble glory of the scarred hands.
                    M. Harvey

48

Y GAIR
Yn y dibryder bryderu
Wrth liain main ein mawl
Tra bo crom y torri bara
A'r hedd o'r gair am roddi'r gwin
Dros oes a'i nwyd ar syniadau
Ac ymarferion am gamwri yfory,
Aed o galon y diogelwch
Faeth gwyn yn ymddiriedaeth gwŷr,
Oni cheir ei fodd yn goch ar fyd
Ar dorri golau o'r dirgelwch, fel nad elo
Gair y gras yn ideoleg ar Grist.
                    Euros Bowen

49

GWEDDI EWCHARISTAIDD TREFN LIMA

PARATOAD

Bendigedig wyt ti, Arglwydd Dduw y greadigaeth,
ti yw rhoddwr y bara hwn,
ffrwyth y ddaear a llafur dynol:
bydded iddo fod yn fara'r Bywyd

Bendigedig fyddo Duw, yn awr ac am byth!

Bendigedig wyt ti, Arglwydd Dduw y greadigaeth,
ti yw rhoddwr y gwin hwn,
ffrwyth y winwydden a llafur dynol:
bydded iddo fod yn win y Deyrnas dragwyddol.

Bendigedig fyddo Duw, yn awr ac am byth!

Fel y bydd i'r grawn a wasgarwyd unwaith yn y meysydd
a'r grawnwin a dyfodd unwaith ar lethrau'r bryniau
gael eu haduno yn awr ar y bwrdd hwn
mewn bara a gwin,
felly, Arglwydd, bydded i'th Eglwys gyfan di
gael ei dwyn ynghyd yn fuan
i mewn i'th Deyrnas Di o bob cornel o'r ddaear.

Marantha! Aleluya!

Arglwydd, tyrd yn fuan! Haleliwia.

GWEDDI'R CYMUN
Yr Arglwydd a fo gyda chwi.

A chyda'th ysbryd dithau.

Dyrchefwch eich calonnau.

Yr ydym yn eu dyrchafu at yr Arglwydd.

Rhown ddiolch i'r Arglwydd ein Duw.

Y mae'n iawn i ni roi iddo ddiolch a chlod.

Yn wir y mae'n iawn ac yn dda i ni dy glodfori di
ymhob amser ac ym mhob lle,
i offrymu i ti ein diolchgarwch,
O Arglwydd, Dad Sanctaidd, Hollalluog a Thragwyddol Dduw.
Drwy dy Air bywiol creaist bob peth,
gan eu galw yn dda.
Creaist ddynoliaeth ar dy ddelw dy hun,
i rannu dy fywyd ac i adlewyrchu dy ogoniant.
Pan ddaeth cyflawniad yr amser
rhoddaist Grist i ni
yn fywyd y byd.

49

THE EUCHARISTIC PRAYER OF THE LIMA LITURGY
PREPARATION

Blessed are you, Lord God of the universe,
you are the giver of this bread,
fruit of the earth and of human labour:
let it become the bread of Life.

Blessed be God, now and for ever!

Blessed are you, Lord God of the universe,
you are the giver of this wine,
fruit of the vine and of human labour:
let it become the wine of the eternal Kingdom.

Blessed be God, now and for ever!

As the grain once scattered in the fields
and the grapes once dispersed on the hillside
are now reunited on this table
in bread and wine,
so, Lord, may your whole Church
soon be gathered together
from the corners of the earth into your Kingdom.

Maranatha! Aleluya!
Lord, come soon! Alleuluia!

EUCHARISTIC PRAYER

The Lord be with you.

And also with you.

Lift up your hearts.

We lift them to the Lord.

Let us give thanks to the Lord our God.

It is right to give him thanks and praise.

Truly it is right and good to glorify you,
at all times and in all places,
to offer you our thanksgiving,
O Lord, Holy Father, Almighty and Everlasting God.
Through your living Word you created all things,
and pronounced them good.
You made human beings in your own image,
to share your life and reflect your glory.
When the time had fully come,
you gave Christ to us
as the Life of the World.

Derbyniodd fedydd ac ymgysegriad fel dy was
i gyhoeddi'r newyddion da i'r tlodion.
Yn y Swper Olaf, rhoddodd Crist i ni yr ewcharist
fel y byddo i ni ddathlu'r cofio am y groes a'r atgyfodiad
a derbyn ei bresenoldeb fel Bara'r Bywyd.
Felly, Arglwydd, gyda'r angylion a'r holl saint,
cyhoeddwn a chanwn dy ogoniant.

Sanctaidd, sanctaidd, sanctaidd

Arglwydd, Dduw pob gallu a phob grym.

O Dduw, Arglwydd y greadigaeth,
yr wyt ti yn sanctaidd ac y mae dy ogoniant yn ddifesur.
Ar y cymun hwn danfon dy Ysbryd, rhoddwr bywyd,
a lefarodd drwy Moses a'r proffwydi,
a gysgododd dros y Forwyn Fair mewn gras,
a ddisgynnodd ar Iesu yn afon yr Iorddonen
ac ar yr apostolion ar ddydd y Pentecost.
Bydded i dywalltiad yr Ysbryd tân
drawsnewid y wledd hon o ddiolchgarwch
fel y bydd i'r bara a'r gwin
fod i ni yn gorff a gwaed Crist.

O Ysbryd Glân, tyrd atom ni.

Llanw ni â rhodd dy ras.

Bydded i'r Ysbryd Glân, y Crëwr,
gyflawni geiriau dy Fab annwyl,
yr hwn, y nos y bradychwyd ef,
a gymerodd fara,
ac wedi rhoi diolch i ti,
fe'i torrodd a'i roddi i'w ddisgyblion,
gan ddywedyd:
Cymerwch, bwytewch:
hwn yw fy nghorff, a roddir trosoch.
Gwnewch hyn er cof amdanaf.
Wedi swper cymerodd y cwpan
ac wedi iddo roddi diolch
fe'i rhoddodd iddynt a dweud:
Yfwch hwn, bawb ohonoch:
hwn yw fy ngwaed o'r cyfamod newydd,
a dywelltir drosoch chwi a thros lawer
er maddeuant pechodau.
Gwnewch hyn er cof amdanaf.

Mawr yw dirgelwch ffydd.

Dy farwolaeth, Arglwydd Iesu, a gyhoeddwn!
Dy atgyfodiad a ddathlwn!
Dy ddyfodiad mewn gogoniant a ddisgwyliwn!

He accepted baptism and consecration
as your Servant
to announce the good news to the poor.
At the last supper
Christ bequeathed to us the eucharist,
that we should celebrate
the memorial of the cross and resurrection,
and receive his presence as the Bread of Life.
Wherefore, Lord, with the angels
and all the saints,
we proclaim and sing your glory:

Sanctus, Sanctus, Sanctus Dominus Deus Sabaoth
Holy, holy, Lord God of Sabaoth

O God, Lord of the universe,
you are holy and your glory is beyond measure.
Upon our eucharist send the life-giving Spirit,
who spoke by Moses and the prophets,
who overshadowed the Virgin Mary with grace,
who descended upon Jesus in the river Jordan
and upon the Apostles on the day of Pentecost.
May the outpouring of this Spirit of Fire
transfigure this thanksgiving meal
that this bread and wine may become for us
the body and blood of Christ.

O Holy Spirit, come to us.
Fill us with your gift of grace.

May this Creator Spirit accomplish the words
of your beloved Son,
who, in the night in which he was betrayed,
took bread,
and when he had given thanks to you,
broke it and gave it to his disciples, saying:
Take, eat:
this is my body,
which is given for you.
Do this for the remembrance of me.
After supper he took the cup
and when he had given thanks,
he gave it to them and said:
Drink this, all of you:
this is my blood of the new covenant,
which is shed for you and for many
for the forgiveness of sins.
Do this for the remembrance of me.
Great is the mystery of faith.

Your death, Lord Jesus, we proclaim!
Your resurrection we celebrate!
Your coming in glory we await!

Felly, Arglwydd,
dathlwn heddiw y cof am ein gwaredigaeth:
gan ddwyn ar gof enedigaeth a bywyd dy Fab yn ein plith,
ei fedyddio gan Ioan, ei bryd olaf gyda'r apostolion,
ei farwolaeth a'i ddisgyniad i drigfan y meirw.
Cyhoeddwn atgyfodiad Crist
a'i esgyniad mewn gogoniant,
lle y mae yn bythol eiriol dros yr holl bobl
fel ein Harchoffeiriad mawr;
ac edrychwn am ei ddyfodiad yn y diwedd.
Wedi ein huno yn offeiriadaeth Crist,
cyflwynwn i ti y cofio hwn:
cofia aberth dy Fab a dyro i'th bobl ym mhob man
rinweddau gwaith gwaredigol Crist.

Maranatha! Aleluya!

Gwêl, Arglwydd, y cymun hwn
a roddaist ti dy hun i'r Eglwys
a derbyn ef yn rasol,
fel yr wyt yn derbyn offrwm dy Fab
drwy'r hwn y cawn ein hadnewyddu yn dy gyfamod.
Wrth i ni gyfranogi o gorff a gwaed Crist,
llanw ni â'th Ysbryd Glân fel y gallwn fod yn
un corff ac yn un ysbryd yng Nghrist,
yn aberth byw er clod i'th ogoniant.

O Ysbryd Glân, tyrd atom ni.
Llanw ni â rhodd dy ras.

Arwain ni i lawenydd y wledd a baratowyd
i'r holl bobloedd yn dy bresenoldeb,
gyda'r Forwyn Fair fendigaid
gyda'r patriarchiaid a'r proffwydi,
a chyda'r holl saint y bu dy gyfeillgarwch yn fywyd iddynt.
Gyda'r rhain oll canwn dy glod
a disgwyliwn am hapusrwydd dy Deyrnas
lle, gyda'r holl greadigaeth,
wedi ein rhyddhau yn y diwedd oddi wrth bechod ac angau,
y cawn ein galluogi i'th ogoneddu di
trwy Grist yr Arglwydd.

Maranatha! Aleluya!

Trwy Grist, gyda Christ, yng Nghrist,
i ti boed pob anrhydedd a gogoniant,
Hollalluog Dduw a Thad,
yn undeb yr Ysbryd Glân,
yn awr ac yn dragywydd.
Amen

45

Wherefore, Lord,
we celebrate today the memorial of our redemption:
we recall the birth and life of your Son among us,
his baptism by John,
his last meal with the apostles,
his death and descent to the abode of the dead.
We proclaim Christ's resurrection
and ascension in glory,
where as our Great High Priest
he ever intercedes for all people;
and we look for his coming at the last.
United in Christ's priesthood,
we present to you this memorial:
remember the sacrifice of your Son
and grant to people everywhere the benefits
of Christ's redemptive work.

Maranatha, Aleluya!

Behold, Lord, this eucharist
which you yourself gave to the Church
and graciously receive it,
as you accept the offering of your Son
whereby we are reinstated in your covenant.
As we partake of Christ's body and blood,
fill us with the Holy Spirit
that we may be one single body
and one single spirit in Christ,
a living sacrifice to the praise of your glory.

O Holy Spirit, come to us.
Fill us with your gift of grace.

Guide us to the joyful feast prepared
for all peoples in your presence,
with the blessed Virgin Mary,
with the patriarchs and prophets,
the apostles and martyrs . . .
and all the saints for whom your friendship was life.
With all these we sing your praise
and await the happiness of your Kingdom
where, with the whole creation,
finally delivered from sin and death,
we shall be enabled to glorify you
through Christ our Lord.

Maranatha! Aleluya!

Through Christ, with Christ, in Christ,
all honour and glory is yours,
Almighty God and Father,
in the unity of the Holy Spirit,
now and for ever.
Amen.

Mi a'th roddaf hefyd yn oleuni i'r Cenhedloedd, fel y byddych yn iachawdwriaeth i mi hyd eithaf y ddaear.

Eseia 49: 6

Yn wir, yn wir, 'rwy'n dweud wrthych, bydd yr hwn sy'n credu ynof fi yntau hefyd yn gwneud y gweithredoedd yr wyf fi'n eu gwneud; yn wir, bydd yn gwneud rhai mwy na'r rheini, oherwydd fy mod i'n mynd at y Tad.

Ioan 14 : 12

DARLLENIADAU

Eseia 40 : 1-8	Geiriau gobaith
Eseia 61 : 1-4	Newyddion da am waredigaeth
Mathew 28 : 16-20	Ewch at yr holl genhedloedd
Marc 16 : 9-19	I'r ddynoliaeth gyfan

50

Fe'm crewyd gan Dduw i gyflawni gwasanaeth penodol. Ymddiriedodd ryw weithgarwch i mi nas ymddiriedodd i unrhyw un arall. Y mae gennyf fy nghenhadaeth — efallai na chaf wybod amdano yn y bywyd hwn, ond fe ddywedir wrthyf yn y bywyd nesaf. Dolen mewn cadwyn ydwyf, dolen rhwng personau. Nid i ddim y crëodd fi. Gwnaf ddaioni, gwnaf ei waith Ef. Byddaf yn angel tangnefedd, yn bregethwr gwirionedd, yn fy lle fy hun heb fwriadu hynny — os gwnaf ond cadw ei orchmynion. Felly, ymddiriedaf ynddo. Beth bynnag, ble bynnag ydwyf. Ni fedraf fyth gael fy nhaflu i ffwrdd. Os ydwyf yn afiach, gall fy afiechyd ei wasanaethu; mewn dryswch, gall fy nryswch ei wasanaethu; os ydwyf mewn tristwch, gall fy nhristwch ei wasanaethu. Ni wna ddim yn ddibwrpas. Y mae'n gwybod beth y mae'n ei wneud. Gall ddwyn fy ffrindiau i ffwrdd, gall fy nhaflu ymhlith dieithriaid. Gall beri i mi deimlo'n unig ac yn isel fy ysbryd, gall guddio fy nyfodol oddi wrthyf — deil i wybod beth y mae'n ei wneud.

Y Cardinal Newman

51

— Nid yw'n wir fod y byd a'i bobl wedi eu tynghedu i farw a bod ar goll —
Hyn sy'n wir: Carodd Duw y byd gymaint nes iddo roi ei unig Fab, er mwyn i bob un sy'n credu ynddo ef beidio â mynd i ddistryw ond cael bywyd tragwyddol.
— Nid yw'n wir fod yn rhaid i ni dderbyn annynoldeb a gwahaniaethau anghyfiawn, newyn a thlodi, marwolaeth a dinistr —

MISSION

You will be witnesses for me.

Acts 1 : 8

I will make you a light to the nations — so that all the world may be saved.

Isaiah 49 : 6

I am telling you the truth: whoever believes in me will do what I do, yes he will do even greater things, because I am going to the Father.

John 14 : 12

READINGS

Isaiah 40 : 1-8   Words of hope
Isaiah 61 : 1-4   Good news of deliverance
Matthew 28 : 16-20   Go to all people
Mark 16 : 9-19   To all humanity

50

God has created me to do him some definite service. He has committed some work to me which he has not committed to another. I have my mission — I may never know it in this life, but I will be told it in the next. I am a link in a chain, a bond of connection between persons. He has not created me for naught. I shall do good, I shall do his work. I shall be an angel of peace, a preacher of truth in my own place while not intending it — if I do but keep his commandments. Therefore I will trust him. Whatever, wherever I am. I can never be thrown away. If I am in sickness, my sickness may serve him; in perplexity, my perplexity may serve him; if I am in sorrow, my sorrow may serve him. He does nothing in vain. He knows what he is about. He may take away my friends, he may throw me among strangers. He may make me feel desolate, make my spirit sink, hide my future from me — still he knows what he is about.

Cardinal Newman

51

It is not true that this world and its people are doomed to die and be lost —
This is true: For God so loved the world that he gave his only begotten Son, that whoever believes in him, shall not perish, but have everlasting life.

—It is not true that we must accept inhumanity and discrimination, hunger and poverty, death and destruction —

Hyn sy'n wir: yr wyf fi wedi dod er mwyn i bobl gael bywyd, a'i gael yn ei holl gyfiawnder.

Nid yw'n wir y dylai trais a chasineb gael y gair olaf, a bod rhyfel a dinistr wedi dod i aros am byth.

Hyn sy'n wir: Canys bachgen a aned i ni, mab a roddwyd i ni, a bydd y llywodraeth ar ei ysgwydd ef: a gelwir ei enw ef, Rhyfeddol, Cynghorwr, y Duw Cadarn, Tad tragwyddoldeb, Tywysog tangnefedd.

— Nid yw'n wir nad ydym ond yn bobl ar drugaredd nerthoedd drygioni sy'n ceisio rheoli'r byd —

Hyn sy'n wir: Rhoddwyd i mi bob awdurdod yn y nef ac ar y ddaear, ac yn awr, yr wyf fi gyda chwi bob amser hyd ddiwedd y byd.

— Nid yw'n wir fod yn rhaid i ni aros i'r rhai sydd â doniau arbennig, sy'n broffwydi'r Eglwys, cyn y gallwn ni wneud dim —

Hyn sy'n wir: Tywylltaf o'm hysbryd ar bob person; a bydd eich meibion a'ch merched yn proffwydo; bydd eich gwŷr ifainc yn gweld gweledigaethau, a'r hynafgwyr yn breuddwydio breuddwydion.

— Nid yw'n wir na fwriadwyd ein breuddwydion am waredigaeth y ddynoliaeth, am gyfiawnder, am urddas dynol, am heddwch i'r ddaear hon a'i hanes —

Hyn sy'n wir: Y mae amser yn dod, yn wir y mae yma eisoes, pan fydd y gwir addolwyr yn addoli'r Tad mewn ysbryd a gwirionedd.

(O anerchiad Allan Boesak i Chweched Cymanfa Cyngor Eglwysi'r Byd, Vancouver, 1983)

52

Credaf yn y Duw byw,
rhiant y ddynoliaeth gyfan
sy'n creu ac yn cynnal
y bydysawd mewn grym ac mewn cariad.

Credaf yn Iesu Grist,
Duw yn gnawd ar y ddaear,
a ddangosodd i ni drwy
  ei eiriau a'i waith,
  ei ddioddefaint gydag eraill,
  ei goncwest dros farwolaeth,
sut y dylai bywyd fod
a sut un yw Duw.

Credaf fod Ysbryd Duw
gyda ni
yn awr a bob amser,
ac y cawn brofiad ohono
mewn gweddi, mewn maddeuant,
yn y Gair, yn y Sacramentau,
yng nghymdeithas yr eglwys
ac ymhob peth a wnawn.
Amen.

53

Y Groes
Fe'i cymerwn.
Y Bara
Fe'i torrwn
Y Poen
Fe'i dioddefwn
Y Llawenydd
Fe'i rhannwn.
Yr Efengyl
Gwnawn ei byw.
Y Cariad
Fe'i rhoddwn.
Y Goleuni
Fe'i hanwylwn.
Y Tywyllwch
Duw a'i dinistria. Amen.

Iona

This is true: I have come that they may have life, and that abundantly.

— It is not true that violence and hatred should have the last word, and that war and destruction have come to stay forever —

This is true: For unto us a child is born, and unto us a Son is given, and the government shall be upon his shoulder, and his name shall be called wonderful counsellor, mighty God, the everlasting Father, the Prince of peace.

— It is not true that we are simply victims of the powers of evil who seek to rule the world —

This is true: To me is given all authority in heaven and on earth, and lo, I am with you alway, even unto the end of the world.

— It is not true that we have to wait for those who are specially gifted, who are the prophets of the Church, before we can do anything —

This is true: I will pour out my Spirit on all flesh, and your sons and your daughters shall prophesy, your young men shall see visions, and your old men shall have dreams . . .

— It is not true that our dreams for liberation of humankind, of justice, of human dignity, of peace are not meant for this earth and for this history —

This is true: The hour comes, and it is now, that the true worshippers shall worship the Father in spirit and in truth . . .

(From Allan Boesak's address to the 6th Assembly of the WCC.
Vancouver, 1983).

52

I believe in the living God,
the Parent of all humankind
who creates and sustains
the universe in power and in love.

I believe in Jesus Christ,
God incarnate on earth,
who showed us by his
   words and work,
   suffering with others,
   conquest of death,
what human life ought to be
and what God is like.

I believe that the Spirit of God
is present with us
now and always,
and can be experienced
in prayer, in forgiveness,
in the Word, the Sacraments,
the community of the Church
and all that we do.
Amen.

53

The cross
We shall take it
The bread
We shall break it
The pain
We shall bear it
The joy
We shall share it
The gospel
We shall live it
The love
We shall give it
The light
We shall cherish it
The darkness
God shall perish it. Amen.

Iona

Gweddïau

54

Nid ydwyf mwyach yn eiddo i mi fy hun,
ond i Ti. Rho imi'r dasg a fynni, gosod
fi gyda'r neb a ewyllysi; dod fi i weithio, dod
fi i ddioddef; gosod fi mewn gwasanaeth drosot neu
tro fi heibio, dyrchafer fi neu
darostynger fi er dy fwyn; gwna fi'n gyfoethog,
gwna fi'n dlawd; dyro imi bopeth, gad
fi heb ddim; yn ddi-atal ac o'r galon ildiaf
bopeth oll i'th ewyllys a'th orchymyn Di.
Ac yn awr, Ogoneddus a bendigedig Dduw,
Dad, Mab ac Ysbryd Glân, Tydi wyt eiddof
fi, a minnau wyf eiddot Ti. Felly y byddo. A
chaniatâ i'r Cyfamod a wneuthum ar y ddaear
fod wedi ei sicrhau yn y nefoedd. Amen.

Allan o Wasanaeth Cyfamod y Methodistiaid

55

Lle bo unrhyw ffalster
Bydded i ti ei dagu â'th wirionedd
Lle bo unrhyw oerni
Bydded i ti gynnau fflam dy gariad
Lle bo unrhyw eiddigedd
Bydded i ti blannu ymddiriedaeth a thosturi
Lle bo unrhyw beth na fynnwn ei wneud drosom ein hunain
Gwna ni'n annedwydd nes iddo gael ei wneud
A gwna ni'n un
Fel 'rwyt ti'n un. Amen.

Iona

56

O Grist, y Saer Mawr, yr hwn, yn y diwedd, a brynaist ein holl iachawdwriaeth drwy
bren a hoelion, ymdrin yn gelfydd â'th offer yng ngweithdy dy fyd, fel y cawn ni, a
ddown yn brennau geirwon i'th fainc, ein saernïo i brydferthwch gwir dy law.
Gofynnwn hyn er mwyn dy enw. Amen.

57

Boed i fendith Duw Sara ac Abraham,
bendith y Mab, a anwyd o Fair,
bendith yr Ysbryd Glân sy'n ymboeni trosom
    fel mam dros ei phlant,
fod gyda chwi oll. Amen.

51

Prayers

54

I am no longer my own, but yours. Put me
to what you will, rank me with whom you
will; put me to doing, put me to
suffering; let me be employed for you or
laid aside for you, exalted for you or
brought low for you; let me be full, let
me be empty; let me have all things, let
me have nothing; I freely and
wholeheartedly yield all things to your
pleasure and disposal. And now,
glorious and blessed God, Father, Son,
and Holy Spirit, you are mine and I am
yours. So be it. And the covenant now
made on earth, let it be ratified in
heaven. Amen.

Methodist Covenant Service

55

Where there is any falseness
Smother it by your truth
Where there is any coldness
Kindle the flame of your love
Where there is any resentment
Replace it with trust and compassion
Where there is anything we will not do for ourselves
Make us discontent until it is done
And make us one
As you are one. Amen.

Iona

56

O Christ, the Master Carpenter, who, at the last, through wood and nails, purchased
our whole salvation, wield well your tools in the workshop of your world, so that we,
who come rough-hewn to your bench, may here be fashioned to a truer beauty of
your hand. We ask it for your own name's sake. Amen.

57

The blessing of the God of Sarah and of Abraham,
the blessing of the Son, born of Mary,
the blessing of the Holy Spirit who broods over us
   as a mother over her children,
be with you all. Amen.

58

Boed i gariad yr Arglwydd Iesu eich tynnu ato ef ei hun.
Boed i nerth yr Arglwydd Iesu eich cryfhau yn ei wasanaeth.
Boed i lawenydd yr Arglwydd Iesu lenwi eich ysbryd.
A bendith Duw Hollalluog, y Tad, y Mab a'r Ysbryd Glân,
a fyddo arnoch ac a drigo gyda chwi yn dragywydd. Amen.

59

Fel y mae'r ddaear yn dal i gylch-droi, gan hyrddio drwy'r gofod,
a'r nos yn disgyn a'r dydd yn gwawrio o wlad i wlad,
Cofiwn bobl — yn dihuno, yn cysgu, yn cael eu geni, yn marw —
un byd, un ddynoliaeth.
Awn oddi yma mewn tangnefedd. Amen.

WCC

60

Bydded i fendith goleuni fod arnoch,
goleuni oddi allan a goleuni oddi mewn.
Bydded i fendith yr heulwen
ddisgleirio arnoch a chynhesu eich calon nes ei bod yn gloywi
fel tân mawn mawr, fel y gall y dieithryn ddyfod i gynhesu
wrtho, yn ogystal â'r cyfaill.
A bydded i'r goleuni ddisgleirio allan o'ch llygaid chwi,
fel cannwyll wedi ei gosod yn ffenestri'r tŷ,
yn gwahodd y crwydryn i ddod i mewn o'r storm.
A bydded i fendith y glaw
fod arnoch — y glaw tyner, melys. Bydded iddo ddisgyn
ar eich ysbryd fel y gall yr holl flodau bychain flaguro,
gan wasgaru eu persawr i'r awel.
A bydded i fendith y glawogydd trymion fod arnoch,
bydded iddynt guro ar eich ysbryd gan ei olchi'n deg a glân,
gan adael yno lawer pwll disglair lle mae glas
y nen yn disgleirio, ac ambell seren.
A bydded i fendith y ddaear
fod arnoch — y ddaear fawr gron;
bydded cyfarchiad caredig gennych
i bobl yr ewch heibio iddynt wrth gerdded y ffyrdd.
Ac yn awr, bydded i'r Arglwydd
eich bendithio chwi, a'ch bendithio'n hael.

Hen fendith Wyddeleg

58

May the love of the Lord Jesus draw you to himself:
May the power of the Lord Jesus strengthen you in his service.
May the joy of the Lord Jesus fill your spirit.
And the blessing of God Almighty, the Father, the Son and the Holy Spirit,
be upon you and remain with you for ever. Amen.

59

As the earth keeps turning, hurtling through space,
and night falls and day breaks from land to land,
Let us remember people — waking, sleeping, being born, and dying —
one world, one humanity.
Let us go from here in peace. Amen.

WCC

60

May the blessing of light
be on you, light without and light within.
May the blessed sunlight
shine upon you and warm your heart till it glows
like a great peat fire, so that the stranger may
come and warm himself at it, as well as the friend.
And may the light shine out of the eyes of you,
like a candle set in the windows of a house,
bidding the wanderer to come in out of the storm.
And may the blessing of the rain
be on you — the soft sweet rain. May it fall upon
your spirit so that all the little flowers may spring up,
and shed their sweetness on the air.
And may the blessing of the great rains be on you,
may they beat upon your spirit and wash it fair and clean,
and leave there many a shining pool where the blue
of heaven shines, and sometimes a star.
And may the blessing of the earth
be on you — the great round earth;
may you ever have a kindly greeting
for people you pass as you're going along the roads.
And now may the Lord
bless you, and bless you kindly.

An old Irish blessing

61

1. Hwn yw y dydd, hwn yw y dydd,
   a wnaeth ein Duw,
   a wnaeth ein Duw,
   Cydlawenhawn, cydlawenhawn,
   â gorfoledd mawr,
   â gorfoledd mawr.
   Hwn yw y dydd a wnaeth ein Duw.
   Cydlawenhawn â gorfoledd mawr.
   Hwn yw y dydd a wnaeth ein Duw.

2. Hwn yw y dydd y cododd Ef.

3. Hwn yw y dydd daeth yr Ysbryd Glân.
   cyf. 'Iddo Ef'

This is the day, this is the day,
That the Lord has made,
That the Lord has made.
We will rejoice, we will rejoice,
And be glad in it,
And be glad in it.
This is the day that the Lord has made,
We will rejoice and be glad in it.
This is the day that the Lord has made.

2. This is the day when he rose again . . .

3. This is the day when the Spirit came
   . . .
   Anon

62

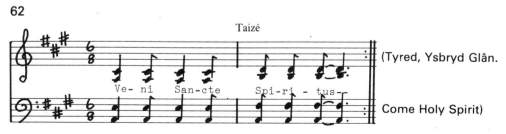

Taizé

Ve- ni San-cte Spi-ri - tus

(Tyred, Ysbryd Glân.

Come Holy Spirit)

63

1. Deuwn ger ei fron a chanu,
   'Haleliwia, haleliwia, haleliwia'

2. Deuwn ger ei fron a chanu,
   "Arglwydd ein Iôr". . .

3. "Teilwng yw'r Oen". . .

4. "Moliant i Dduw". . .

cyf 'Iddo Ef'

1. Come into his presence singing,
   'Alleluia', 'Alleluia' 'Alleluia'

2. Come into his presence singing,
   'Jesus is Lord'. . .

3. 'Worthy the Lamb'. . .

4. 'Glory to God'. . .

Anon

64

Tôn: Down Ampney

1. Tyrd, Ysbryd Cariad mawr,
   Ymwêl â llwch y llawr,
   A threiddia nerth i mewn i'n hysbryd
   egwan;
   Ddiddanydd, agosâ,
   Fy nghalon i cryfha,
   A chynnau'r tân yn hon, dy newydd
   drigfan.

2. Dy gwmni, sanctaidd Un,
   Dry nwydau meidrol ddyn
   Yn llwch a lludw yn ei danllyd fflamau;
   A'th olau nerthol Di
   Fyddo f'arweinydd i,
   Ac ar fy ffordd yn llewyrch mwy i'm
   llwybrau.

3. Tywynned haul dy ras
   O ŵyneb-pryd dy was,
   A'i darddiad fyddo'r galon iselfrydig;
   Yr hon a wyla'n lli
   Dros ei diffygion hi,
   Gan ddwyn ei chroes ar ysgwydd
   ostyngedig.

4. Uwch deall dynol-ryw
   Fo'r hiraeth dwys am Dduw
   A phresenoldeb Ysbryd Crist byth
   bythoedd.
   Ei ras ni ŵyr un dyn,
   Nes dod yn demel ei hun
   Lle triga'r Ysbryd Sanctaidd yn oes
   oesoedd.

cyf. Hywel M. Griffiths

Tune: Down Ampney

1. Come down, O love divine,
   Seek thou this soul of mine,
   And visit it with thine own ardour
   glowing;
   O Comforter, draw near,
   Within my heart appear,
   And kindle it, thy holy flame bestowing.

2. O let it freely burn,
   Till earthly passions turn
   To dust and ashes, in its heat
   consuming;
   And let thy glorious light
   Shine ever on my sight,
   And clothe me round, the while my path
   illuming.

3. Let holy charity
   Mine outward vesture be,
   And lowliness become mine inner
   clothing;
   True lowliness of heart,
   Which takes the humbler part,
   And o'er its own shortcomings weeps
   with loathing.

4. And so the yearning strong,
   With which the soul will long,
   Shall far outpass the power of human
   telling;
   For none can guess its grace,
   Till he become the place
   Wherein the Holy Spirit makes his
   dwelling.

Bianco da Siena tr. R.F. Littledale

1. Sanctaidd, Sanctaidd, Sanctaidd,
                    Sanctaidd,
   Hollalluog, Arglwydd Sanctaidd;
   A dyrchafwn ein calonnau fry i'r Un a
                    garwn ni, ·
   Sanctaidd, Sanctaidd, Sanctaidd,
                    Sanctaidd.

2. Dad trugarog, Dad trugarog,
   Braint yw bod yn blant i Ti, Dad
   trugarog;
   A dyrchafwn ni ein pennau fry i'r Un a
                    garwn ni,
   Dad trugarog, Dad trugarog.

3. Iesu annwyl, Iesu annwyl,
   Llon ŷm ni am iti'n prynu, Iesu annwyl;
   A dyrchafwn ni ein dwylo fry i'r Un a
                    garwn ni,
   Iesu annwyl, Iesu annwyl.

4. Sanctaidd Ysbryd, Sanctaidd Ysbryd,
   Llanw Di'n calonnau ninnau, Sanctaidd
                    Ysbryd;
   A dyrchafwn ni ein lleisiau fry i'r Un a
                    garwn ni,
   Sanctaidd Ysbryd, Sanctaidd Ysbryd.

5. Haleliwia, Haleliwia,
   Haleliwia, Haleliwia,
   Clod i'r Tad a'r Mab a'r Ysbryd;
   Tri yn Un ac Un yn Dri,
   Haleliwia, Haleliwia.

                    cyf. 'Iddo Ef'

1. Holy, holy, holy, holy,
   Holy, holy, Lord God Almighty.
   And we lift our hearts before you as a
                    token of our love.
   Holy, holy, holy, holy.

2. Gracious, Father, gracious Father,
   We are glad to be your children,
                    gracious Father.
   And we lift our heads before you as a
                    token of our love,
   Gracious Father, gracious Father.

3. Precious Jesus, precious Jesus,
   We are glad you have redeemed us,
                    precious Jesus,
   And we lift our hands before you as a
                    token of our love,
   Precious Jesus, precious Jesus.

4. Holy Spirit, Holy Spirit,
   Come and fill our hearts anew, Holy
                    Spirit,
   And we lift our voice before you as a
                    token of our love,
   Holy Spirit, Holy Spirit.

5. Hallelujah, hallelujah,
   Hallelujah, hallelujah, hallelujah,
   And we lift our hearts before you as a
                    token of our love,
   Hallelujah, hallelujah.

                    Jimmy Owens

1. Gostyngedig ydym wrth ddod atat Ti,
   Dyro inni fendith yn dy gwmni Di.

2. Cymer ein calonnau 'nawr yn eiddo i
   ti,
   Gwna ein cariad ninnau fel dy gariad
   Di.

3. Cymer di ein llygaid 'nawr yn eiddo i
   Ti,
   Gweld y byd yn gyfan, fel y gweli Di.

4. Cymer di ein dwylo 'nawr yn eiddo i
   Ti,
   Crefft a dawn sancteiddia i'th ewyllys
   Di.

5. Dyma'n traed i gerdded 'nawr yn
   eiddo i Ti,
   Rhodiwn hyd dy lwybrau wrth dy
   ddilyn Di.

6. Tafod i lefaru gawn yn d'enw Di,
   Geiriau sy'n rhoi bywyd yw dy eiriau
   Di.

7. Clustiau sydd yn gwrando rhown yn
   awr i Ti,
   Dyro inni wrando ar dy eiriau Di.

8. Rhoddi wnawn ein hunain, fyth yn
   eiddo i Ti,
   Cadw ni'n ddiogel yn dy gwmni Di.

   cyf. Gwilym C. Evans

1. Humbly in your sight we come together,
                                    Lord,
   Grant us now the blessing of your
                          presence here.

2. These, our hearts, are yours, we give
                          them to you, Lord,
   Purify our love to make it like your own.

3. These, our eyes, are yours, we give
                          them to you, Lord,
   May we always see your world as with
                          your sight.

4. These, our hands, are yours, we give
                          them to you, Lord,
   Give them strength and skill to do our
                          work for you.

5. These, our feet, are yours, we give them
                          to you, Lord,
   May we walk along the path of life with
                          you.

6. These, our tongues, are yours, we give
                          them to you, Lord,
   May we speak your healing words of life
                          and truth.

7. These, our ears, are yours, we give them
                          to you, Lord,
   Open them to hear your words of
                          guidance, Lord.

8. Our whole selves are yours, we give
                          them to you, Lord,
   Take us now and keep us yours for
                          evermore.

   Tumbuka Hymn by J.P. Chirwa
   Translated and adapted by Tom Colvin

Jubilate, yr holl bobl,
Gwasanaethwch Dduw ym mhob rhyw
               ffordd
O dewch o'i flaen Ef, dewch dan ganu;
I'w gynteddau dewch, a moliant rhowch,
Cans mae'n Harglwydd Dduw yn raslon,
Ei drugaredd sy'n dragwyddol.
Jubilate, jubilate, jubilate Deo.

cyf. 'Iddo Ef'

Jubilate, ev'rybody,
Serve the Lord in all your ways
And come before his presence singing;
Enter now his courts with praise.
For the Lord our God is gracious,
And his mercy everlasting.
Jubilate, jubilate, jubilate Deo!

Fred Dunn

1. Nefol Dad, fe'th garwn;
   I ti'n bywyd rhoddwn;
   O! fe'th garwn.

2. Iesu Grist, fe'th garwn;
   I ti'n bywyd rhoddwn;
   O! fe'th garwn.

3. Ysbryd Glân, fe'th garwn;
   I ti'n bywyd rhoddwn;
   O! fe'th garwn.

cyf. Noel Davies

1. Father, I adore you,
   Lay my life before you,
   How I love you.

2. Jesus, I adore you,
   Lay my life before you,
   How I love you.

3. Spirit, I adore you,
   Lay my life before you,
   How I love you.

Terrye Coelho

69

1. Molwch Ef, Molwch Ef,
   Molwch yn y bore,
   Molwch yn yr hwyrnos,
   Molwch Ef, Molwch Ef,
   Molwch yn y machlud mwyn.

2. Carwch Ef . . .

3. Pwyso . . .

4. Dilyn . . .

5. Iesu . . .

cyf.'Iddo Ef'

1. Praise him, praise him,
   Praise him in the morning,
   Praise him in the noontime.
   Praise him, praise him,
   Praise him when the sun goes down.

2. Love him . . .

3. Trust him . . .

4. Serve . . .

5. Jesus . . .

Anon

70

Iesu, Iesu,
Dyma gân fy nghalon i,
Rhoddaist imi dy Lân Ysbryd,
Diolch i Ti.

cyf.'Iddo Ef'

Jesus, Jesus,
Let me tell you what I know,
You have given us your spirit,
We love you so.

Anon

Taizé

Lau- da - te om- nes gen- tes, lau - da - te Do-mi-

num. Lau - da -te om-nes ge - tes, lau-da- te Do -mi- num!

(Y Salm 117;1 Psalm 117:1)

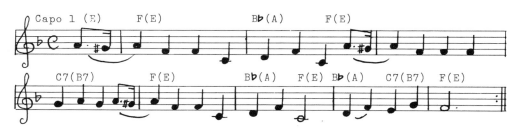

1. Thank you, Lord, for this fine day,
   Thank you, Lord, for this fine day,
   Thank you, Lord, for this fine day,
   Right where we are.
   Chorus:
   Alleluia, praise the Lord (x 3)
   Right where we are.

1. Diolch iti, lôr, am ddiwrnod braf,
   Diolch iti, lôr, am ddiwrnod braf,
   Diolch iti, lôr, am ddiwrnod braf,
   Heddiw, yma, 'nawr.
   Cytgan:
   Haleliwia, molwn Di (x 3)
   Heddiw, yma, 'nawr.

2. Diolch iti, lôr, am ein caru ni. . .

2. Thank you, Lord, for loving us . . .

3. Diolch iti, lôr, am roi hedd i ni. . .

3. Thank you, Lord, for giving us peace
   . . .

4. Diolch iti, lôr, am ein gwneud yn
   rhydd . . .

4. Thank you, Lord, for setting us free
   . . .

5. Diolch iti, lôr, am gael cwmni llon.
   cyf. 'Iddo Ef'

5. Thank you, Lord, for games to play
   . . .
   Diane Davis

73

Tôn: Rhosymedre

1. O! nefol addfwyn Oen
   Sy'n llawer gwell na'r byd,
   A lluoedd maith y nef
   Yn rhedeg arno'u bryd;
   Dy ddawn a'th ras a'th gariad drud
   Sy'n llanw'r nef, yn llanw'r byd.

2. Noddfa pechadur trist,
   Dan bob drylliedig friw
   A phwys euogrwydd llym,
   Yn unig yw fy Nuw;
   'Does enw i'w gael o dan y nef
   Yn unig ond ei enw Ef.

3. Ymgrymed pawb i lawr
   I enw'r addfwyn Oen;
   Yr enw mwyaf mawr
   Erioed a glywyd sôn:
   Y clod, y mawl, y parch a'r bri
   Fo byth i enw'n Harglwydd ni.

William Williams

Tune: Rhosymedre

1. Thou heavenly Lamb of God
   The hosts of heaven adore;
   More precious than the world
   Art thou for ever more.
   Thy grace and thy redeeming love,
   Fill all the earth and heaven above.

2. A refuge safe thou art
   For sinners crushed with pain,
   The drooping, aching heart,
   Thou only canst sustain;
   No other name beneath the skies
   For guilty sinners will suffice.

3. To him, the Lamb of God,
   Let all the earth bow down
   In homage, 'tis the name
   Most glorious ever known:
   All honour, praise and glory be
   To God for all eternity.

tr. Howell Williams

74

Tôn Builth

1. Rhagluniaeth fawr y nef,
   Mor rhyfedd yw
   Esboniad helaeth hon
   O arfaeth Duw:
   Mae'n gwylio llwch y llawr,
   Mae'n trefnu lluoedd nef,
   Cyflawna'r cwbl oll
   O'i gyngor ef.

2. Llywodraeth faith y byd
   Sydd yn ei llaw;
   Mae'n tynnu yma i lawr
   Yn codi draw;
   Trwy pob helyntoedd blin,
   Terfysgoedd o bob rhyw,
   Dyrchafu'n gyson mae
   Deyrnas ein Duw.

3. Ei th'wyllwch dudew sydd
   Yn olau gwir;
   Ei dryswch mwyaf, mae
   Yn drefen glir;
   Hi ddaw â'i throeon maith
   Yn fuan oll i ben,
   Bydd synnu wrth gofio'r rhain
   Tu draw i'r llen.

David Charles

Tune: Builth

1. Great Providence of heaven,
   Wondrous and kind —
   Reveals in full accord,
   God's will and mind:
   It guards the dust of earth,
   The starry hosts that shine,
   Fulfils the mighty plan
   Of God's design.

2. The power that rules the world
   Is in his hands;
   Lo! here it overthrows,
   Yonder expands.
   In all the toil and stress,
   All varied storms that rage,
   God's rule is magnified
   From age to age.

3. Its darkness dense enfolds
   A radiant light,
   Its labyrinthine ways,
   Ordered and right.
   Its winding paths will end,
   Anon, and in their trail
   Wonder shall endless be
   Beyond the veil.

tr. Ben Davies

Tôn: Vulpius

1. Crist sydd yn frenin! Llawenhawn!
   Gyfeillion, dewch â moliant llawn,
   Mynegwch ei anhraethol ddawn.
   Haleliwia.

2.
   Mawrhewch yr Arglwydd, eiliwch
   gân,
   Cenwch yr anthem loyw lân,
   I seintiau Crist a aeth o'n blaen.
   Haleliwia.

3. Canlyn y brenin wnaent yn rhydd
   Ac ennill miloedd yn eu dydd
   I lwybrau nefol gras a ffydd.
   Haleliwia.

4. Ddilynwyr Crist ymhob rhyw le,
   O! ceisiwch eto ffordd y ne' —
   Ffordd ei ganlynwyr annwyl e'.
   Haleliwia.

5. Crist drwy yr oesoedd sydd yn fawr:
   Gobeithiwch yn ei enw'n awr,
   Seiniwch ei air dros ddaear lawr.
   Haleliwia.

6. Gorchfygol gariad Iesu gwiw,
   Holl wasanaethwyr teyrnas Dduw
   A uno yn un teulu byw.
   Haleliwia.

7. Gan wneud d'ewyllys, awn ymlaen,
   I newydd dasg â newydd dân, —
   Boed d'eglwys yn un teulu glân.
   Haleliwia.
   cyf. D. Eirwyn Morgan

Tune: Vulpius

1. Christ is the King! O friends, rejoice!
   Brothers and sisters, with one voice
   Make all men know he is your choice.
   Alleluia.

2. O magnify the Lord, and raise
   Anthems of joy and holy praise
   For Christ's brave saints of ancient
   days.
   Alleluia.

3. They with a faith for ever new
   Followed the King, and round him
   drew
   Thousands of faithful men and true.
   Alleluia.

4. O Christian women, Christian men,
   All the world over, seek again
   The way disciples followed then.
   Alleluia.

5. Christ through all ages is the same:
   Place the same hope in his great
   name,
   With the same faith his word
   proclaim.
   Alleluia.

6. Let love's unconquerable might
   Your scattered companies unite
   In service to the Lord of light.
   Alleluia.

7. So shall God's will on earth be done,
   New lamps be lit, new tasks begun,
   And the whole church at last be one.
   Alleluia.
   G. K. A. Bell

1. Diolch i ti, yr hollalluog Dduw,
   Am yr efengyl,
   Am yr efengyl,
   Am yr efengyl sanctaidd;

1. Eternal praise to thee, Almighty God,
   For thy salvation,
   For thy salvation,
   Praise for thy great salvation.

2. Pan oeddem ni mewn carchar tywyll du,
   Rhoîst in oleuni,
   Rhoîst in oleuni,
   Rhoîst in oleuni nefol.

3. O! Aed, O! Aed yr hyfryd wawr ar led,
   Goleued ddaear,
   Goleued ddaear,
   Goleued ddaear lydan.
                           cyf. David Charles

2. When we lay bound in dungeon dark and deep,
   Light came upon us,
   Light came upon us,
   Light came from heaven upon us.

3. Through all the world may thy bright dawn arise,
   Light of the nations,
   Light of the nations,
   Glory and light of nations.
                           tr. Gwilym R. Tilsley

77

Tôn: Litherop neu Regent Square

1. Da yw byw! Am hynny, heddiw,
     Seinio cân yn llawen wnawn, —
   Bwrlwm bywyd, trefi, pobol,
     Pentre', fferm a meysydd llawn.
   Da yw byw! Mor rhydd a hyfryd
     Yw y bywyd hwn a gawn.

2. Da yw byw! — beth bynnag ddigwydd
     Pan fwy'n llawen neu dan loes,
   Pan ddaw tristwch, poen, amheuon,
     Pan fwy'n methu deall fy nghroes;
   Da yw byw os dengys rhywun
     Gariad sydd yn puro f'oes.

3. Da yw cariad! — serch cariadon,
     Sibrwd hoff a syllu hir,
   Dau yn plygu uwch y cawell
     Lle mae gwrthrych cariad gwir;
   Pery serch er colli ie'nctid,
     O dan henaint plyga'n ir.

4. Cariad sydd yn rhoi a derbyn —
     Mab a merch neu ffrind a lŷn,
   Cariad sydd yn dwyn a maddau
     Loesau gwaethaf dicter blin;
   Cariad ydyw ffordd y bywyd,
     Ffordd y gobaith mawr ei hun.

5. Mawr yw Duw! Yng Nghrist fe'n carodd,
     Cariad mwy na'r eiddom yw,
   Cariad yn diodde'n ffyddiog
     A theyrngarwch ffrindiau'n wyw,
   Cariad dorrodd afael angau,
     Moliant iddo, y Gŵr byw!
          cyf. Noel Davies a W.R. Nicholas

Tune: Litherop or Regent Square

1. Life is great! So sing about it,
     as we can and as we should —
   shops and buses, towns and people,
     village, farmland, field and wood.
   Life is great and life is given.
   Life is lovely, free and good.

2. Life is great! — whatever happens,
     snow or sunshine, joy or pain,
   hardship, grief or disillusion,
     suffering that I can't explain —
   life is great if someone loves me,
     holds my hand and calls my name.

3. Love is great! — the love of lovers,
     whispered words and longing eyes;
   love that gazes at the cradle
     where a child of loving lies;
   love that lasts when youth has faded,
     bends with age, but never dies.

4. Love is giving and receiving —
     boy and girl or friend with friend.
   Love is bearing and forgiving
     all the hurts that love can send.
   Love's the greatest way of living,
     Hoping, trusting to the end.

5. God is great! In Christ he loved us,
     as we should but never can —
   Love that suffered, hoped and trusted
     When disciples turned and ran,
   love that broke through death for ever.
     Praise that loving, living Man!
                           Brian Wren

Fe welwn Dduw,	We see the Lord,
Fe welwn Dduw,	We see the Lord,
Ac uchel yw a dyrchafedig,	And he is high and lifted up,
A'i odre'n llenwi'r deml.	And his train fills the temple.
Uchel yw a dyrchafedig,	He is high and lifted up,
A'i odre'n llenwi'r deml.	And his train fills the temple.
Engyl a gân, Sanctaidd;	The angels cry, Holy;
Engyl a gân, Sanctaidd;	The angels cry, Holy;
Engyl a gân, Sanctaidd yw ein Duw	The angels cry, Holy is the Lord.

cyf. Noel Davies   Anon

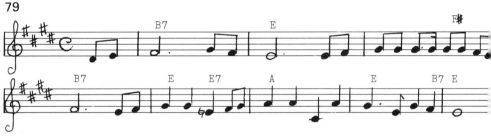

F'Arglwydd yw, f'Arglwydd yw.	He is Lord, he is Lord,
Atgyfodi wnaeth o'r bedd, a'm	He is risen from the dead and he is Lord,
Harglwydd yw,	Ev'ry knee shall bow, ev'ry tongue
Pob un glin a blyg, medd pob tafod mwy	confess
Fod Iesu'n Arglwydd Byw.	That Jesus Christ is Lord.

cyf. Noel Davies   Anon

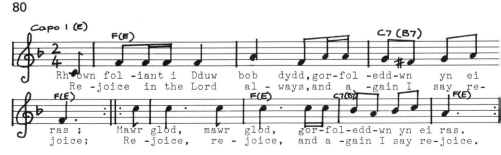

Rhown fol-iant i Dduw bob dydd, gor-fol-edd-wn yn ei
Re-joice in the Lord al-ways, and a-gain I say re-

ras; Mawr glôd, mawr glôd, gor-fol-edd-wn yn ei ras.
joice; Re-joice, re-joice, and a-gain I say re-joice.

Tôn: Blaencefn

1. Wele'n sefyll rhwng y myrtwydd
   Wrthrych teilwng o'm holl fryd,
   Er mai o ran yr wy'n adnabod
   Ei fod uwchlaw gwrthrychau'r byd:
   Henffych fore
   Y caf ei weled fel y mae.

2. Rhosyn Saron yw ei enw,
   Gwyn a gwridog, teg o bryd;
   Ar ddeng mil y mae'n rhagori
   O wrthrychau penna'r byd:
   Ffrind pechadur,
   Dyma'r peilot ar y môr.

3. Beth sydd i mi mwy a wnelwyf
   Ag eilunod gwael y llawr?
   Tystio'r wyf nad yw eu cwmni
   I'w gystadlu â'm Iesu mawr:
   O! am aros
   Yn ei gariad ddyddiau f'oes.

Ann Griffiths

Tune: Blaencefn

1. Lo, between the myrtles standing,
   One who merits well my love;
   Though his worth I guess but dimly,
   High all earthly things above;
   Happy morning
   When at last I see him clear!

2. Rose of Sharon, so we name him;
   White and red his cheeks adorn;
   Store untold of earthly treasure
   Will his merit put to scorn;
   Friend of sinners,
   He their pilot o'er the deep.

3. What can weigh with me hence-
   forward
   All the merits of the earth?
   One and all I here proclaim them,
   Matched with Jesus, nothing
   worth;
   O! to rest me
   All my lifetime in his love!

tr. H. Idris Bell

Dad y trugareddau i gyd
Rhowch foliant, holl drigolion byd;
Lu'r nef, moliennwch ef ar gân;
Tad, y Mab, a'r Ysbryd Glân.

cyf. Howell Harris

Praise God, from whom all blessings flow,
Praise him all, creatures here below;
Praise him above, ye heavenly host,
Praise Father, Son and Holy Ghost.

Thomas Ken

Music by Jimmy Owens © Copyright 1972, Lexicon Music Inc. USA. Word Music (UK), (A division of Word (UK) Ltd). Northbridge Road, Berkhamsted, Herts. HP4 1EH. England.

83

Taizé

Ky -ri - e, Ky-ri- e e-le- i-son.

84

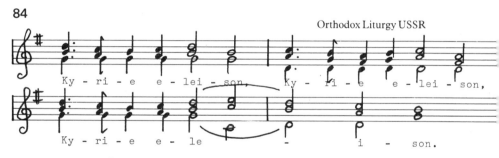

Orthodox Liturgy USSR

Ky - ri - e e - lei - son, Ky - ri - e e - lei - son,

Ky - ri - e e - le - i - son.

(Arglwydd, trugarha wrthym. Lord, have mercy on us.)

85

Orthodox Liturgy USSR

A - gi - os The-os, A - gi - os Is - chi - ros,

A - gi - os - A - tha -na - tos, E -le - i -son 'i - mas.

(Dduw Sanctaidd, Sanctaidd Nerthol, Sanctaidd Anfeidrol! Trugarha wrthym.
Holy God, Holy Mighty, Holy Immortal! Have mercy on us.)

67

86

1. Arglwydd, arwain drwy'r anialwch
   Fi, bererin gwael ei wedd,
   Nad oes ynof nerth na bywyd,
   Fel yn gorwedd yn y bedd:
   Hollalluog
   Ydyw'r un a'm cwyd i'r lan!

2. Agor y ffynhonnau melys
   Sydd yn tarddu o'r graig i maes;
   'R hyd yr anial mawr canlyned
   Afon iachawdwriaeth gras:
   Rho im hynny,
   Dim i mi ond dy fwynhau.

3. Ymddiriedaf yn dy allu,
   Mawr yw'r gwaith a wnest erioed:
   Ti gest angau, Ti gest uffern,
   Ti gest Satan dan dy droed:
   Pen Calfaria,
   Nac aed hwnnw byth o'm cof!

William Williams

Tune: Cwm Rhondda

1. Guide me, O thou great Jehovah,
   Pilgrim through this barren land;
   I am weak, but thou are mighty;
   Hold me with thy powerful hand:
   Bread of heaven!
   Feed me now and evermore.

2. Open thou the crystal fountain,
   Whence the healing stream shall
                                flow,
   Let the fiery, cloudy pillar
   Lead me all my journey through:
   Strong deliverer!
   Be thou still my strength and shield.

3. When I tread the verge of Jordan,
   Bid my anxious fears subside;
   Death of death, and hell's destruction,
   Land me safe on Canaan's side:
   Songs of praises
   I will ever sing to thee.

William Williams

87

Tôn: Flemming

1. Arglwydd ein bywyd, Duw ein
                         lachawdwriaeth,
   Seren ein nos, a Gobaith pob
                         gwladwriaeth,
   Clyw lef dy Eglwys yn ei blin
                         filwriaeth,
   Arglwydd y lluoedd!

2. Ti yw ein rhan pan ballo pob
                         cynhorthwy,
   Ti yw'n hymwared yn y prawf
                         ofnadwy;
   Cryfach dy Graig nag uffern a'i
                         rhyferthwy,
   Arglwydd, pâr heddwch.

3. Heddwch o'n mewn, i ddifa llygredd
                         calon;
   Heddwch i'th saint yng nghanol eu
                         pryderon;
   Heddwch i'r byd, yn lle ei frwydrau
                         creulon —
   Heddwch y cymod.

cyf. Thomas Lewis

Tune: Flemming

1. Lord of our life and God of our
                         salvation,
   Star of our night and hope of every
                         nation,
   Hear and receive thy church's
                         supplication,
   Lord God Almighty.

2. Lord, thou canst help when earthly
                         armour faileth;
   Lord, thou canst save when sin itself
                         assaileth
   Lord, o'er thy rock nor death nor hell
                         prevaileth:
   Grant us thy peace, Lord.

3. Peace in our hearts our evil thoughts
                         assuaging
   Peace in your church, where brothers
                         are engaging,
   Peace when the world its busy war is
                         waging:
   Calm thy foes' raging.

Tr. from M. von Löwenstern, Pusey

G. M. Koliski

Nko-si. Nko - si. yi-ba nen - ce - ba Kres-tu

Kres - tu. yi-ba nen- ce - ba. Arglwydd / Lord hav

trugar-ha, trug-ar- ha-- wrth - ym Crist / mer - cy, have mer- cy up - on us. Christ have

trug - ar - ha, trugar - ha wrth ym. / mer - cy, have mer-cy up - on us.

89

Tune: St. Margaret	Tôn: St. Margaret

1. O! Love that wilt not let me go,
    I rest my weary soul in thee:
  I give thee back the life I owe,
  That in thine ocean depths its flow
    May richer, fuller be.
	1. O! Gariad, na'm gollyngi i,
	    Gorffwysfa f'enaid ynot sydd:
	  Yr einioes roddaist, cymer hi,
	  A llawnach, glanach fyth ei lli
	    Yn d'eigion dwfn a fydd.

2. O! Light that followest all my way,
    I yield my flickering torch to thee:
  My heart restores its borrowed ray,
  That in thy sunshine's blaze its day
    May brighter, fairer be.
	2. O! Lewyrch yn fy nghanlyn sydd,
	    Fy nghannwyll wan a rof i Ti;
	  A golau benthyg hon a fydd
	  Yn t'wynnu'n loywach, decach dydd,
	    Yn dy glaer heulwen Di.

3. O! Joy that seekest me through pain,
    I cannot close my heart to thee:
  I trace the rainbow through the rain,
  And feel the promise is not vain,
    That morn shall tearless be.
	3. O! Wynfyd pur a'm cais trwy fraw,
	    Ni allaf rhagot gau fy mron;
	  'R wy'n gweld yr enfys drwy y glaw,
	  Yn ôl d'addewid gwn y daw
	    Diddagrau fore llon.

4. O! Cross, that liftest up my head,
    I dare not ask to fly from thee:
  I lay in dust life's glory dead,
  And from the ground there blossoms red
  Life that shall endless be.
	4. O! Groes a gŵyd fy mhen, yn awr
	    Ni feiddiaf ddeisyf d'ochel Di;
	  Mi fwriaf falchder f'oes i'r llawr,
	  A thardd o'i lwch, â gwridog wawr,
	    Fy mythol fywyd i.

George Matheson	cyf. Tecwyn

Traditional Northern Malawi melody

1. Ti, Israel, tyrd nôl 'nawr,
   Cytgan:
   Tyrd 'nôl at Dduw dy dadau,
   Creawdwr nef a daear,
   Tyrd 'nôl at Dduw dy dadau.

2. Ni chei di fyth dy siomi . . .

3. Er iti fyth dramgwyddo . . .

4. Er amled dy bechodau . . .

5. Mae'n siŵr o wrando arnat . . .

6. Oherwydd mae'n dy alw . . .

7. 'Nawr cais gan Dduw faddeuant . . .

8. Mae'n galw arnat, gwrando . . .

9. 'Nawr rho dy hun i'w eiddo . . .

10. Can's ef yw dy Waredwr . . .

11. Rhyddhawr yw i'w bobl . . .

12. O dychwel, tyrd yn ôl 'nawr . . .

13. Rhai unig, rhai colledig . . .

14. Dowch ato mewn gweddïau . . .

15. Bydd ateb 'nawr yn dilyn . . .

16. Am hynny dowch, ei bobl . . .
    cyf. Gwilym C. Evans

1. You, Israel, return now.
   Chorus:
   Return to God your Father,
   Your only Great Creator,
   Return to God your Father.

2. You won't be disappointed, . . .

3. Although you have offended, . . .

4. Although your sins are many, . . .

5. He's sure to listen to you, . . .

6. For He is calling to you, . . .

7. Now seek your Lord's forgiveness, . . .

8. He calls you all to hear Him, . . .

9. And give yourselves to Him now, . . .

10. For He is your redeemer, . . .

11. The people's liberator, . . .

12. Return now, O return now, . . .

13. You lonely and you lost ones, . . .

14. Now pray to Him, his people, . . .

15. And He will quickly answer, . . .

16. So come now, all you people.
    Tom Colvin

Based on a Tumbuka Hymn by N.Z. Tembo

TEULU DUW — GOD'S FAMILY

91

Tôn: Aurelia

1. Boed i ni dderbyn eraill
   fel y derbyniaist ni;
   Dysg ni, chwiorydd, brodyr,
   oll i gofleidio'n gu.
   Bydd yma yn ein plith
   a dwg ni i gredu'n iawn
   Y cawsom ni ein derbyn
   er mwyn byw bywyd llawn.

2. Dysg ni, O! Grist, dy wersi
   fel, yn ein byw bob dydd,
   Y ceisiwn fod yn bobol
   llawn gobaith a llawn ffydd.
   Rho i ni ddawn gofalu,
   dros bawb ac nid dros rai;
   I garu'r hyn a fyddant
   drwy'r grym sy'n maddau'r bai.

3. Gad i ni gael ein newid
   gan dy dderbyniad di,
   I wneuthur y gwirionedd
   drwy fyw y cariad cry';
   I roi ar gof a chadw,
   wrth ddysgu yn d'ysgol di,
   Y tabl o faddeuant,
   a'r grym mewn chwerthin sy'.

4. Arglwydd, wrth i ni heddiw
   wynebu angen byd,
   Y newyn am gyfiawnder,
   am fara a hedd ynghyd,
   Mae eisiau llygaid newydd
   a dwylo i ddal yn dynn;
   O! newid ni â'th Ysbryd:
   rhyddha ni, gwna ni'n un.

   cyf. Noel A. Davies

Tune: Aurelia

1. Help us accept each other
   as Christ accepted us;
   Teach us as sister, brother
   each person to embrace.
   Be present, Lord, among us
   and bring us to believe
   We are ourselves accepted
   and meant to love and live.

2. Teach us, O Lord, your lessons,
   as in our daily life
   We struggle to be human
   and search for hope and faith,
   Teach us to care for people,
   for all, not just for some,
   To love them as we find them
   or as they may become.

3. Let your acceptance change us,
   so that we may be moved
   In living situations
   to do the truth in love;
   To practise your acceptance
   until we know by heart
   The table of forgiveness
   and laughter's healing art.

4. Lord, for today's encounters
   with all who are in need,
   Who hunger for acceptance,
   for righteousness and bread,
   We need new eyes for seeing,
   new hands for holding on:
   Renew us with your Spirit;
   Lord, free us, make us one!

   Fred Kaan

Cytgan:
Clyma ni'n un, O Dduw, clyma ni'n un, Dad,
Â chwlwm na ellir ei ddatod.
Clyma ni'n un, O Dduw, clyma ni'n un, Dad,
Clyma ni'n un ynot Ti.

1. Dim ond un Duw sy'n bod,
   Dim ond un Brenin glân,
   Dim ond un gwerthfawr gorff,
   Hyn rydd ystyr i'n cân.

2. Er mwyn gogoniant Duw Dad,
   Gwaed Crist a'n prynodd trwy loes,
   Ynddo fe'n golchwyd yn lân,
   Ym muddugoliaeth y groes.

3. Ni yw teulu'r Duw byw,
   Addewid y Dwyfol un,
   Etholedig y Tad,
   Hyfryd newydd win.

                    cyf. 'Iddo Ef'.

Chorus:
Bind us together, Lord, bind us together
with cords that cannot be broken.
Bind us together, Lord, bind us together,
Bind us together with love.

1. There is only one God.
   There is only one King.
   There is only one Body.
   That is why we sing . . .

2. Made for the glory of God,
   Purchased by his precious Son.
   Born with the right to be clean,
   For Jesus the victory has won.

3. We are the family of God.
   We are the promise divine.
   We are God's chosen desire.
   We are the glorious new wine . . .
                    B. Gillman

Gorchymyn newydd a roddaf i chwi,
i chwi garu eich gilydd fel y cerais i chwi,
i chwi garu eich gilydd fel y cerais i chwi.
Wrth hyn gwêl pawb eich bod i mi'n
ddisgyblion,
os cerwch chwi hefyd eich gilydd.
Wrth hyn gwêl pawb eich bod i mi'n
ddisgyblion,
os cerwch chwi hefyd eich gilydd.

                              cyf. 'Iddo Ef'.

A new commandment I give unto you,
that you love one another as I have
loved you,
that you love one another as I have
loved you.
By this shall all men know you are my
disciples
if you have love one to another.
By this shall all men know you are my
disciples
if you have love one to another.

                              Anon

94

Tôn: St. Magnus

1. Un eglwys Dduw trwy'r oesau sydd,
   A glân yw rhodiad hon;
   Traul amser ni faluria'i ffydd
   Sy'r un drwy'r ddaear gron.

2. 'Mhob oes a gwlad o dan y rhod
   Mae'n briodasferch lwys;
   'R un presenoldeb gaiff ei chlod
   Mewn salm neu fyfyr dwys.

3. Ei hoffeiriadaeth fawr ei braint
   Yw ffyddlon blant ein Duw;
   Y pur o galon yw ei saint,
   A'i hoffrwm, cariad yw.

4. Y gwir yw ei phroffwydol ddawn,
   Eneidiau yw ei phlwy';
   Tosturi yw ei chwpan llawn,
   A'i balm yw marwol glwy'.

Tune: St.Magnus

1. One holy church of God appears
   Through every age and race,
   Unwasted by the lapse of years,
   Unchanged by changing place.

2. From oldest time, on farthest shores,
   Beneath the pine or palm,
   One unseen Presence she adores
   With silence or with psalm.

3. Her priests are all God's faithful sons,
   To serve the world raised up;
   The pure in heart, her baptised ones,
   Love her communion cup.

4. The truth is her prophetic gift,
   The soul her sacred page;
   And feet on mercy's errand swift,
   Do make her pilgrimage.

5. Dos, eglwys fyw, â'th neges ddrud,
   Cyflawna'r pwrpas mawr;
   Â Bara'r Bywyd portha'r byd,
   Cyhoedda'r euraid wawr.

   cyf. Ieuan S. Jones

5. O living Church, thine errand speed,
   Fulfil thy task sublime;
   With bread of life earth's hunger feed;
   Redeem the evil time!

   Samuel Longfellow

95

Tôn: Thornbury

Tune: Thornbury

1. Dy law, O Dduw, fu'n tywys
     Dy braidd o oes i oes,
   A'r hanes sydd yn eglur
     I bawb mewn cred a moes:
   Ein tadau a fu'n dystion
     I'th nodded yn eu dydd,
   Gan arddel byth un Arglwydd,
     Un Eglwys ac un ffydd.

2. Newyddion da gyhoeddwyd
     Gan holl genhadon hedd,
   A mawr a mân wahoddwyd
     I ddod i'r nefol wledd;
   A dyma'r genadwri
     Draddodwyd yn ddi-gudd,
   Gan arddel byth un Arglwydd,
     Un Eglwys ac un ffydd.

3. Ni phaid dy rad drugaredd,
     Ni phaid dy waith o'n tir,
   Trwy gymorth dy ddeheulaw
     Cawn fuddugoliaeth wir;
   Ac yna, d'enw, Arglwydd,
     Yn ogoneddus fydd,
   A'r gân am byth: un Arglwydd,
     Un Eglwys ac un ffydd.

   cyf. W.H. Harries

1. Thy hand, O God, has guided
     Thy flock from age to age;
   The wondrous tale is written,
     Full clear, on every page;
   Our fathers owned thy goodness,
     And we their deeds record;
   And both of this bear witness:
     One Church, one faith, one Lord.

2. Thy heralds brought glad tidings
     To greatest as to least;
   They bade all rise and hasten
     To share the great king's feast;
   Their gospel of redemption,
     Sin pardoned, right restored,
   Was all in this enfolded:
     One Church, one faith, one Lord.

3. Thy mercy will not fail us,
     Nor leave thy work undone;
   With thy right hand to help us,
     The vict'ry shall be won;
   And then, by earth and heaven,
     Thy name shall be adored,
   And this shall be their anthem:
     One Church, one faith, one Lord.

   E.H. Plumptre

96

Hebrew Folk Melody

Tan y winwydden a'r ffigysbren
bydd pawb mewn hedd ac yn ddi-fraw.
(x2)
Sychau fydd y cledd a'r gwn
ac ni fydd cynllun rhyfel mwy. (x2)

cyf. Gwilym C. Evans

And ev'ryone 'neath the vine and fig tree
shall live in peace and unafraid. (x2)
Plowshares beat out of swords and
guns; and we will study war no more. (x2)

D. Trautwein

Olle Widestrand

1. Llawer yw'r pelydrau
   o'r Golau ddaw.
   Iesu yw y golau.
   Llawer yw'r pelydrau
   o'r Golau ddaw.
   'Rŷm yn un yng Nghrist.

2. Llawer yw'r canghennau
   o'r goeden ddaw,
   Iesu yw'r winwydden,
   Llawer yw'r canghennau
   o'r goeden ddaw.
   'Rŷm yn un yng Nghrist.

3. Llawer yw y doniau
   o'r Ysbryd ddaw.
   Iesu, ti a'i rhoddaist.
   Llawer yw y doniau
   o'r Ysbryd ddaw.
   'Rŷm yn un yng Nghrist.

4. Llawer ffordd gwasanaeth
   o'r Ysbryd ddaw.
   Iesu, ti ai rhoddaist.
   Llawer ffordd gwasanaeth
   o'r Ysbryd ddaw.
   'Rŷm yn un yng Nghrist.

5. Llawer yw'r aelodau
   mewn corff sydd un.
   Iesu, ti yw'r undod.
   Llawer yw'r aelodau
   mewn corff sydd un.
   'Rŷm yn un yng Nghrist.

cyf. Gwilym C. Evans

1. Many are the light-beams
   from the one light.
   Our one light is Jesus.
   Many are the light-beams
   from the one light;
   We are one in Christ.

2. Many are the branches
   of the one tree.
   Our one tree is Jesus.
   Many are the branches
   of the one tree;
   We are one in Christ.

3. Many are the gifts giv'n,
   love is all one.
   Love's the gift of Jesus.
   Many are the gifts giv'n,
   love is all one;
   We are one in Christ.

4. Many ways to serve God,
   the Spirit is one;
   Servant spirit of Jesus.
   Many ways to serve God,
   the Spirit is one;
   We are one in Christ.

5. Many are the members,
   the body is one.
   Members all of Jesus.
   Many are the members,
   the body is one;
   We are one in Christ.

Anders Frostenson (Sweden)
Trans: David Lewis

98

Haleluyah! Pelo tsa rona
Di thabile kaofela (x2)

Ke Moreno Jeso
Ya re dumaletseng
Ya re dumaletseng
Ho tsamaisa evangedi

A na na le bo mang?
Le barutuwa ba hae.
A na na le bo mang?
Le barutuwa ba hae.

Haleliwia! Rhown i Ti foliant,
Mae gorfoledd yn ein calon. (x2)

Crist ei hun sy'n dweud hyn —
Fi yw'r gwin, bara wyf,
Fi yw'r gwin, bara wyf;
Rhowch i bawb sydd 'nawr mewn
angen.

Allan 'nawr awn ninnau
Cryf mewn ffydd, heb amau,
Cryf mewn ffydd, heb amau;
Mynd a rhannu yr Efengyl.

cyf. Gwilym C. Evans

Halleluya! We sing your praises.
All our hearts are filled
with gladness. (x2)

Christ the Lord to us said:
I am wine, I am bread.
I am wine, I am bread.
Give to all who thirst
and hunger.

Now he sends us all out
Strong in faith, free of doubt,
Strong in faith, free of doubt;
Tell all men the joyful Gospel.

from South Africa

1. Down ynghyd i dorri bara — un ŷm
ni.
Down ynghyd i dorri bara — un ŷm
ni.
Un ŷm ni wrth in syllu ar y Mab
sydd heddiw'n fyw,
f, Dduw dy drugaredd rho i ni.

2. Down ynghyd at y cwpan — un ŷm ni
. . .

3. Down ynghyd i glodfori — un ŷm ni.
                    cyf. Gwilym C. Evans

1. Let us break bread together,
we are one,
Let us break bread together,
we are one.
We are one as we stand,
with our face to the risen Son.
Oh, Lord have mercy on us.

2. Let us drink wine together . . .

3. Let us praise God together . . .

100

Tôn: St. Peter

Tune: St. Peter

1. Mi ddof yn llawen at y bwrdd,
    Cans bwrdd fy Arglwydd yw;
Rhyfeddaf eto at ei waith
    Yn marw i mi gael byw.

1. I come with joy to meet my Lord,
    forgiven, loved and free,
in awe and wonder to recall
    his life laid down for me.

2. Pob brawd a chwaer i Grist ynghyd,
    Pob gwlad o dan y nef,
Cymdeithas cariad yno sydd
    Wrth fwrdd ei gymun ef.

2. I come with Christians far and near,
    to find, as all are fed,
our true community of love
    in Christ's communion bread.

3. Canolfur pob gwahaniaeth blin
    'Ddatodir ganddo ef,
Fe'n rhwymir gan ei gariad mawr
    Yn un gymdeithas gref.

3. As Christ breaks bread for all to share
    each proud division ends.
The love that made us makes us one
    and strangers now are friends.

4. Yr Arglwydd yn ein plith y sydd,
    Ei gwmni'n wastad 'gawn,
Fe'n gweddnewidir yn ei ŵydd
    A chanu'i glod a wnawn.

4. And thus with joy we meet our Lord.
    His presence, always near,
is in such friendship better known:
    we see, and praise him here.

5. Yn rhwymau cariad awn yn awr
    Bob un i'w dasg a'i daith,
Clodforwn ef yng ngŵydd y byd
    Mewn meddwl, gair a gwaith.
            cyf. Dyfnallt Morgan

5. Together met, together bound,
    we'll go our different ways,
and as his people in the world
    we'll live and speak his praise.
                    Brian Wren

1. O! Iesu, deuwn ni
   Yn ufudd ger dy fron;
   Dilynwn ffordd dy gariad di
   I'th gwmni yr awr hon.

2. Agorwn galon gaeth,
   Rhown le yn awr i Grist.
   Y croeshoeliedig Oen a ddaeth,
   Ffrind pechaduriaid trist.

3. Dy gwmni yw y wledd:
   O! rho i ninnau oll
   Gael gweld gogoniant Crist a'i hedd;
   A'r llonder gwir, di-goll.

4. Dedwyddwch gwir a gawn
   Pan ddeuwn yma 'nghyd,
   Cans yn dy dŷ cawn wledda'n llawn
   Ar yr elfennau drud.

5. Rho rym i'n bywyd gwan
   Drwy'r manna ddaw o'r nef,
   A thaena drosom faner lân
   Ei ras tragwyddol ef.

   cyf. Noel A. Davies

1. Jesus, we thus obey
   Thy last and kindest word;
   Here, in Thine own appointed way,
   We come to meet Thee, Lord.

2. Our hearts we open wide,
   To make the Saviour room;
   And lo! the Lamb, the Crucified,
   The sinner's Friend, is come.

3. Thy presence makes the feast;
   Now let our spirits feel
   The glory not to be expressed,
   The joy unspeakable.

4. With high and heavenly bliss
   Thou dost our spirits cheer;
   Thy house of banqueting is this,
   And Thou hast brought us here.

5. Now let our souls be fed
   With manna from above,
   And over us Thy banner spread
   Of everlasting love.

   Charles Wesley

Tôn: Llef

1. Wrth edrych, Iesu, ar dy groes,
   A meddwl dyfnder angau loes,
   Pryd hyn 'rwyf yn dibrisio'r byd,
   A'r holl ogoniant sy ynddo i gyd.

2. N'ad im ymddiried tra fwyf byw
   Ond yn dy gariad di, fy Nuw;
   Dy boenau di a'th farwol glwy'
   Gaiff fod yn ymffrost imi mwy.

3. Poen a llawenydd dan y loes,
   Tristwch a chariad ar y groes;
   P'le bu rhinweddau fel y rhain
   Erioed o'r blaen dan goron ddrain?

4. Myfi aberthaf er dy glod
   Bob eilun sydd o dan y rhod;
   Ac wrth fyfyrio ar dy waed,
   Fe gwymp pob delw dan fy nhraed.

   cyf. W. Williams

Tune: Llef

1. When I survey the wondrous cross
   On which the Prince of Glory died,
   My richest gain I count but loss,
   And pour contempt on all my pride.

2. Forbid it, Lord, that I should boast,
   Save in the death of Christ my God:
   All the vain things that charm me most,
   I sacrifice them to his blood.

3. See from his head, his hands, his feet,
   Sorrow and love flow mingled down:
   Did e'er such love and sorrow meet
   Or thorns compose so rich a crown?

4. Were the whole realm of nature mine,
   That were a present far too small:
   Love so amazing, so divine,
   Demands my soul, my life, my all!

   Isaac Watts.

Tôn: Kumbayah

1. Fel dy deulu, Dduw, gwêl ni 'nghyd,
   Fel dy deulu, Dduw, gwêl ni 'nghyd,
   Fel dy deulu, Dduw, gwêl ni 'nghyd,
   O Dduw, gwêl ni 'nghyd.

2. Wrth dy fwrdd, Dduw, bwydir ni,
   Wrth dy fwrdd, Dduw, bwydir ni,
   Wrth dy fwrdd, Dduw, bwydir ni,
   O Dduw, bwyda ni.

3. Llanw'n hysbryd, Dduw, â'th gariad
   di,
   Llanw'n hysbryd, Dduw, â'th gariad
   di,
   Llanw'n hysbryd, Dduw, â'th gariad
   di,
   O Dduw, rho'th gariad i ni.

4. Gwna ni'n ffyddlon, Dduw, i'th
   'wyllys di,
   Gwna ni'n ffyddlon, Dduw, i'th
   'wyllys di,
   Gwna ni'n ffyddlon, Dduw, i'th
   'wyllys di,
   O Dduw, i'th 'wyllys di.

5. Fel dy deulu, Dduw, gwêl ni 'nghyd,
   Fel dy deulu, Dduw, gwêl ni 'nghyd,
   Fel dy deulu, Dduw, gwêl ni 'nghyd,
   O Dduw, gwêl ni 'nghyd.

Tune: Kumbayah

1. As your family, Lord, see us here,
   As your family, Lord, see us here,
   As your family, Lord, see us here,
   O Lord, see us here.

2. At your table, Lord, we are fed;
   At your table, Lord, we are fed;
   At your table, Lord, we are fed;
   O Lord, we are fed.

3. Fill our spirits, Lord, with your love,
   Fill our spirits, Lord, with your love,
   Fill our spirits, Lord, with your love,
   O Lord, give your love.

4. Make us faithful, Lord, to your will,
   Make us faithful, Lord, to your will,
   Make us faithful, Lord, to your will,
   O Lord, to your will.

5. As your family, Lord, see us here,
   As your family, Lord, see us here,
   As your family, Lord, see us here,
   O Lord, see us here.

Anon

Tôn: Grafenberg (Nun danket all)

1. Mewn cof o'th aberth wele ni,
   O! Iesu, 'n cydnesáu;
   Un teulu ydym ynot Ti,
   I'th garu a'th fwynhau.

2. Dy gariad Di dy Hun yw'r wledd —
   Ni welwyd cariad mwy;
   Ffynhonnau o dragwyddol hedd
   A dardd o'th farwol glwy'.

3. Er mwyn y gras a ddaeth i ni
   O'th ddwyfol aberth drud,
   Gwna'n cariad fel dy gariad Di,
   I gynnwys yr holl fyd.

Tune: Grafenberg (Nun danket all)

1. Lord Jesus, in your name we come,
   Your dying to recall;
   One family bound within your love,
   One joy to share with all.

2. Your love is now our joyful feast —
   There is no greater love;
   A well of everlasting peace
   Your death will always prove.

3. God, through the miracle of grace
   Which we in Jesus find,
   Inspire in us your power of love,
   Embracing humankind.

4. Gwna'r teulu oll sydd ar y llawr,
   Fel teulu'r nef yn un:
   A selia ninnau yma'n awr
   Yn eiddo i Ti dy Hun.

                                    Elfed

4. God, make earth's human family
   With heaven's communion, one;
   And bind your people gathered here;
   Unite us, in your Son.

                         H. Elfed Lewis tr. Noel A. Davies

105

Tôn: St. Catherine (H.F. Hemy)

1. Arglwydd, dy gariad di dy hun
       A ddaeth â ni ynghyd yn awr.
   Creaist ni'n dyner ar dy lun,
       Maddau ein hanufudd-dod mawr.
   Clywsom dy air; yn wylaidd iawn
   Ceisio dy gariad di a wnawn.

2. Deuwn yn llesg gan boen a loes
       Clwyfau'n hanwiredd oll a'n brad;
   Caeth i arferion bydol foes,
       Byw mewn cadwynau yw ein stad.
   Rhyddid a geisiwn i bob un,
   Gobaith i bawb o deulu dyn.

3. Arglwydd, yng Nghrist ein galw
                           'gawn,
       Galw ein henwau 'wnei o hyd;
   Dyfod heb hawl na haeddiant
                           'wnawn,
       Ond trwy dy raslon gariad drud,
   Canys o'r nef Gwaredwr mawr
   'Gawsom yn was i blant y llawr.

4. Golchi ein traed yn wylaidd 'wna,
       Rhoddi ei gorff yn aberth byw,
   Gwas dioddefus a'n bywha
       Trwy ein cymodi ni â Duw.
   Caned y nef a'r ddae'r ynghyd,
   Ef yw Iachawdwr mawr y byd.

5. Diolch i ti, O Dduw, yn awr,
       Am ein rhyddhau o'n cyflwr trist,
   Diolch am waredigaeth fawr,
       Am y llawenydd sydd yng Nghrist.
   Gobaith a ffydd a roist i ni,
   Gad inni fyw dy gariad di.

                    cyf. Dyfnallt Morgan

Tune: St. Catherine (H.F. Hemy)

1. Lord God, your love has called us here,
       as we, by love, for love were made.
   your living likeness still we bear,
       though marred, dishonoured,
                           disobeyed.
   We come with all our heart and mind
   your call to hear, your love to find.

2. We come with self-inflicted pains
       of broken trust and chosen wrong,
   half-free, half-bound by inner chains,
       by social forces swept along,
   by powers and systems close confined
   yet seeking hope for humankind.

3. Lord God, in Christ you call our name
       and then receive us as your own
   not through some merit, right or claim
       but by your gracious love alone.
   We strain to glimpse your mercy seat
   and find you kneeling at our feet.

4. Then take the towel, and break the bread,
       and humble us, and call us friends,
   Suffer and serve till all are fed,
       and show how grandly love intends
   to work till all creation sings,
   to fill all worlds, to crown all things.

5. Lord God, in Christ, you set us free
       your life to live, your joy to share.
   Give us your Spirit's liberty
       to turn from guilt and dull despair
   to offer all that faith can do
   while love is making all things new.

                                    Brian Wren

106

Traditional Israeli folk song.

Cytgan
Chorus

Duw lefarodd wrth Ei bobol,
Haleliwia.
A doethineb yw Ei eiriau,
Haleliwia (x 2)

Pobol Dduw, rhowch glust i wrando,
Rhowch glust i glywed newydd da.
Chwi yw'r offeiriaid a'r brenhinoedd,
Duw a ddaeth i'ch plith. (x 2)

'R hwn sydd â chlustiau 'nawr
                         gwrandawed,
R' hwn sydd â chlustiau 'nawr a glyw:
Ti sydd yn ceisio ffordd doethineb.
Gwrando eiriau Duw. (x 2)

Israel ddaw at ei Hiachawdwr,
Jiwda sy'n llon o weld Ei ddydd;
O bedwar ban fe ddaw Ei bobol —
Dengys Ef y ffordd. (x 2)

                    cyf. 'Iddo Ef'

Refrain
God has spoken to his people,
Hallelujah!
And his words are words of wisdom,
Hallelujah! (x 2)

Open your ears, O Christian people,
Open your ears to hear good news,
Open your hearts, O royal priesthood,
God has come to you. (x 2)

He who has ears to hear his message,
He who has ears then let him hear.
He who would learn the ways of
                              wisdom
Let him hear God's word. (x 2)

Israel comes to greet the Saviour;
Judah is glad to see his day.
From east and west the peoples travel
He will show the way. (x 2)

                    Rev. W. F. Jabusch

81

Tôn: Macabeus

1. Crist a orchfygodd fore'r trydydd
dydd,
Cododd ein Gwaredwr, daeth o'r
rhwymau'n rhydd.
Gwisgoedd ei ogoniant sydd yn
ddisglair iawn,
Wedi gweld ei harddwch ninnau
lawenhawn.
Crist a orchfygodd fore'r trydydd
dydd,
Cododd ein Gwaredwr, daeth o'r
rhwymau'n rhydd.

2. Daw ef i'n cyfarch gyda thoriad
gwawr,
Gwasgar ein hamheuon, lladd ein
hofnau mawr.
Cryfach fyddwn ninnau yn ei gwmni
ef,
Rhodiwn yn hyderus ar ein ffordd i'r
nef.
Crist a orchfygodd fore'r trydydd
dydd,
Cododd ein Gwaredwr, daeth o'r
rhwymau'n rhydd.

3. Ni yw ei dystion, awn ymlaen â'i
waith,
Gan gyhoeddi'i enw ym mhob gwlad
ac iaith.
Gobaith sydd yn Iesu i'r holl
ddynol-ryw,
Concrwr byd a'i bechod, y
pencampwr yw.
Crist a orchfygodd fore'r trydydd
dydd,
Cododd ein Gwaredwr, daeth o'r
rhwymau'n rhydd.
efel. O. M. Lloyd

Tune: Maccabaeus

1. Thine be the glory, risen, conquering
Son,
Endless is the victory thou o'er death
hast won;
Angels in bright raiment rolled the
stone away,
Kept the folded graveclothes where
thy body lay:
Thine be the glory, risen,
conquering Son,
Endless is the victory thou o'er
death hast won.

2. Lo, Jesus meets us, risen from the
tomb;
Lovingly he greets us, scatters fear
and gloom;
Let the church with gladness hymns
of triumph sing,
For her Lord now liveth, death hath
lost its sting:
Thine be the glory, risen,
conquering Son,
Endless is the victory thou o'er
death hast won.

3. No more we doubt thee, glorious
Prince of Life;
Life is nought without thee: aid us in
our strife;
Make us more than conquerors
through thy deathless love;
Bring us safe through Jordan to thy
home above.
Thine be the glory, risen,
conquering Son,
Endless is the victory thou o'er
death hast won.
Edmond L. Budry
tr. Richard B. Hoyle

Tôn: Hyfrydol neu Blaenwern
Yn dy waith y mae fy mywyd,
Yn dy waith y mae fy hedd;
Yn dy waith yr wyf am aros
Tra fwy'r ochr hyn i'r bedd;
Yn dy waith ar ôl mynd adref
Trwy gystuddiau rif y gwlith:
Moli'r Oen fu ar Galfaria —
Dyna waith na dderfydd byth.
E. Griffiths

Tune: Hyfrydol or Blaenwern
In thy service is my calling,
In thy service I'm content;
In thy service I'll continue
Till my earthly days are spent.
In thy service till thou call'st me
Through all pain to heavenly peace.
Praising him, the Lamb most holy,
Never shall that service cease.
tr. Selyf Roberts

109

Hedd sy'n llifo fel yr afon	Peace is flowing like a river,
Llifo trwot ti a mi,	Flowing out through you and me,
Llifo allan i'r anialwch;	Spreading out into the desert,
Rhyddid bellach ddaeth i ni.	Setting all the captives free.
	Love. . .
	Faith. . .
Cariad. . .	Hope. . .
Ffydd. . .	Joy. . .
Gobaith. . .	
Llawenydd. . .	

cyf. 'Iddo Ef'

110

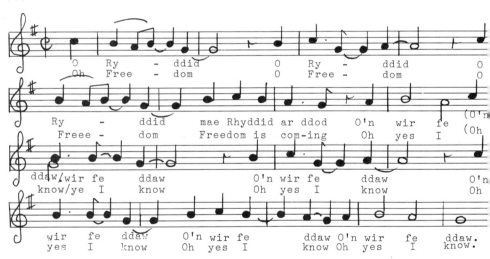

O Ryddid, O Ryddid,	Oh Freedom, Oh Freedom,
O Ryddid, mae Rhyddid ar ddod;	Oh Freedom, Freedom is coming;
O'n wir fe ddaw,	Oh yes I know,
O'n wir fe ddaw.	Oh yes I know.
O Iesu, O Iesu,	Oh Jesus, Oh Jesus,
O Iesu, mae Iesu yn dod;	Oh Jesus, Jesus is coming;
O'n wir fe ddaw,	Oh yes I know,
O'n wir fe ddaw.	Oh yes I know.

cyf. Gwilym C. Evans   from S. Africa

Tôn: Woodlands

1. O! f'enaid, cân, mawrha yr Arglwydd
Dduw,
Bydd lawen ynddo, dy Waredwr yw,
Y nerthol Iôr, wnaeth bethau mawr i
Mair
Am iddi gredu yn ei sanctaidd air.

2. Bendigaid ffrwyth ei chroth a ddaeth
i'th ran,
Mae Ef yn gryf, er nad wyt ti ond
gwan;
Dy frenin yw, ni raid it fod yn drist,
Ac ni fydd diwedd ar deyrnasiad
Crist.

3. O oes i oes, i'r rhai a'i hofnant Ef,
Trugaredd Duw sy'n ddinacâd o'r
nef;
Ei gadarn fraich sy'n dymchwel
beilchion byd,
Dyrchafu'r gwylaidd y mae Ef o hyd.

4. Mae'n porthi'n hael newynog rai o'i
stôr,
Ond troi'r goludog 'wna heb ddim o'i
ddôr;
A chofio mae ei addewidion mawr
I'n tadau ac i ninnau'r plant yn awr.

5. O! f'enaid, cân, boed it yn ôl ei air,
Bydd gaeth i'r Arglwydd, gwyn dy
fyd fel Mair;
Mawrha y Tad a'r Mab yn ddiwahân,
Ac arnat beunydd doed yr Ysbryd
Glân.
Dynfallt Morgan

Tune: Woodlands

1 Tell out, my soul, the greatness of the
Lord:
unnumbered blessings, give my
spirit voice;
Tender to me the promise of his
word;
in God my Saviour shall my heart
rejoice.

2. Tell out, my soul, the greatness of his
name,
make known his might, the deeds his
arm has done,
His mercy sure, from age to age the
same;
his holy name, the Lord, the Mighty
One.

3. Tell out, my soul, the greatness of his
might:
powers and dominions lay their
glory by;
Proud hearts and stubborn wills are
put to flight,
the hungry fed, the humble lifted
high.

4. Tell out, my soul, the glories of his
word;
firm is his promise, and his mercy
sure.
Tell out, my soul, the greatness of the
Lord
to children's children and for
evermore.

5 Tell out, my soul, the greatness of the
Lord:
unnumbered blessings, give my
spirit voice;
Tender to me the promise of his
word;
in God my Saviour shall my heart
rejoice.
Timothy Dudley-Smith

Tôn: Shaker Tune
Bu dawns drwy y cread wedi llunio'r
byd,
Fe ddawnsiodd yr haul a'r lloerennau i
gyd;
Fe ddisgynnais o'r nefoedd i'th
gofleidio di,
Ym Methlehem y'm ganwyd i.

Cytgan:
Dawns, dawns, a hynny yn ddi-oed,
Arglwydd y ddawns ydwyf fi erioed,
Arweiniaf bawb i fyny tua'r nef,
Ac arweiniaf bawb yn y ddawns, medd
ef.

Fe geisiais i ddawnsio gyda'r duwiol lu,
Gwrthododd y rhain ag ymuno gyda mi;
Daeth rhai o'r pysgotwyr bach i gymryd
eu siawns,
Gan weiddi'n llon, Awn ymlaen â'r
ddawns.

Bu dawns ar y Sabath gyda'r cloffion
rhydd,
A'r Phariseaid yn amau grym y ffydd;
Drwy dwyll y bradychwyr fe newidiwyd
fy myd,
A'm rhoi ar y groes i farw'n fud.

Bu dawns mewn tywyllwch, ar y
Gwener du,
A Satan a'i bwn yn gormesu arnaf fi;
Fe'm rhoddwyd i orwedd yn y bedd yn
syth,
Ond dawnsio wnes, ac 'rwy'n dawnsio
byth.

Disgynnais o'r croesbren ond
dyrchefais fry,
A'r atgyfodiad a'r bywyd ydwyf fi;
Arweiniaf bawb yn union tua thref,
Cans Arglwydd y ddawns ydwyf fi,
medd ef.
cyf. Ifor Rees

Tune: Shaker Tune
I danced in the morning when the world
was begun,
and I danced in the moon and the stars
and the sun,
and I came down from heaven and I
danced on the earth,
at Bethlehem I had my birth,
Chorus:
Dance, then, wherever you may be,
I am the Lord of the Dance, said he.
And I'll lead you all wherever you may
be,
and I'll lead you all in the dance, said he.

I danced for the Scribe and the Pharisee,
but they would not dance and they
wouldn't follow me.
I danced for the fishermen, for James
and John;
they came with me and the dance went
on.

I danced on the Sabbath and I cured the
lame.
The holy people they said it was a
shame.
They whipped and they stripped and
they hung me on high,
and they left me there on the cross to
die.

I danced on a Friday when the sky
turned black.
It's hard to dance with the devil on your
back.
They buried my body and they thought
I'd gone
but I am the dance and I still go on.

They cut me down and I leapt up high.
I am the life that'll never, never die.
I'll live in you if you'll live in me.
I am the Lord of the Dance, said he.
Sydney Carter

Mynegai/Index

Acknowledgements

We wish to thank all those who have given permission to print material in this book.
From *'Freedom is Coming!'* Songs of Protest and Praise from South Africa.': FREEDOM IS COMING, NKOSI NKOSI, HALELUYA! PELO TSA RONA, © Ytryck, Uppsala, Sweden; From *'Music from Taize';* Jacques Berthier, published by Collins, VENI SANCTE SPIRITUS, KYRIE, LAUDATE OMNES GENTES, © Les Presses de Taize (France) International copyright secured. All rights reserved; JUBILATE DEO © Fred Dunn; CHRIST IS THE KING. O FRIENDS REJOICE by G. K. A. Bell (18883-1958) (altd.) from *Enlarged Songs of Praise* by permission of Oxford University Press; LIFE IS GREAT! SO SING ABOUT IT; I COME WITH JOY TO MEET MY LORD; LORD GOD, YOUR LOVE HAS CALLED US HERE by Brian Wren (1936-) from *Faith Looking Forward* by permission of Oxford University Press; HELP US ACCEPT EACH OTHER by Fred Kaan; LORD OF THE DANCE by Sydney Carter. © Stainer & Bell Ltd. Reprinted with permission; TELL OUT MY SOUL. © Timothy Dudley-Smith; AND EVERYONE NEATH THE VINE. © Herrn Probst Dr. Dieter Trautwein; MANY ARE THE LIGHTBEAMS. © Verbum Verlag, ALVSJO, Sweden. Eng. Text © Rev. David Lewis; BIND US TOGETHER; THANK YOU LORD FOR THIS FINE DAY; Thank you Music Ltd., P.O. Box 75, Eastbourne, East Sussex, BN23 6NW; FATHER I ADORE YOU. © 1972 Maranatha! Music all rights reserved. International copyright secured. Used by permission; The prayer GIVE US LIFE/RHO I NI FYWYD. Adapted from a Taize prayer. Printed by permission from Mowbrays Publishing; The quotation from HOPE AND SUFFERING. Desmond Tutu. Fontana Paperbacks with permission; CELEBRATION OF LIFE from *Worship and Wonder:* Edmund Jones © Stainer and Bell Ltd (also trans.); ACROSS THE BARRIERS adapted from a prayer by Reverend J. L. Cowie, Edinburgh, in *Worship Now. A Collection of Services and Prayers for Public Worship* compiled by David Cairns et al, The Saint Andrew Press, Edinburgh; Bible quotations from Good News Bible — © American Bible Society 1966, 1971, 1976. Published by the Bible Societies and Collins; Y Beibl Cymraeg Newydd — Y Salmau © BFBS 1979; Y Testament Newydd, © BFBS 1975; GOD'S GRANDEUR; PIED BEAUTY from the 4th Ed. (1967) of *The Poems of Gerard Manley Hopkins* edited by W. H. Gardner and N. H. MacKenzie, pub. OUP for the Society of Jesus; THE EMPTY CHURCH from *Frequencies*, GOOD from *Laboratories of the Spirit* MacMillan London Limited; KNEELING from *Not that he brought flowers.* © R. S. Thomas. Grafton Books, a Division of the Collins Publishing Group; The prayer MAKE US ONE from *Morning, Moon and Night: Prayer and Meditations from the Third World*, ed. John Carden, CMS, London, 1976. Prayers from the *Iona Community Worship Book;* Hope Publishing and Word (UK) named in the text.
Songs from *Iddo Ef,* Mudiad Ieuenctid yr Annibynwyr; DIFIAU DYRCHAFAEL by Saunders Lewis by permission of Christopher Davies; Poems by Waldo by permission of Gwasg Gomer; Poems by Euros Bowen from *Cerddi Rhydd* pub. Gwasg y Brython 1961, by permission of the Author.
WCC material by permission of the World Council of Churches.
Thanks to those who have translated material specially for this book; to the following for permission to use their translations — Hywel M. Griffiths, Ieuan S. Jones, Dyfnallt Morgan, Ifor Rees, Selyf Roberts, Gwilym R. Tilsley, Gwilym C. Evans, Noel Davies, G. O. Williams, and to the families of Elfed Lewis, O. M. Lloyd, and Eirwen Morgan.
Thanks also to Haydn Thomas for help in proof reading.